超超越主義。

世界にたった一つの最強組織のつくり方

株式会社 Legaseed
代表取締役
近藤悦康

SUN RISE

超越（ちょうえつ）

自分にしかない、自分だけの価値を創造すること。

超超越（ちょう・ちょうえつ）

自分たちにしかできない、自分たちだけの価値を創造すること。

「超越」を持つ人が集まり、一人では決して到達できない目的を達成すること。互いの「超越」をぶつけ合うことで、社会や世界、地球までをも変えるほどの力を生み出すこと。

近藤悦康

序章

世界を変える力「超超越」とは何か

地球上にここにしかない、と言われる会社をつくりたかった

「もう20時か……」東京・田町にある雑居ビル。4人のスタッフと共に息をするのも忘れてノートパソコンに向き合っていた私は、ふと鳴りだした蛍の光のメロディで我に返り、ハッと頭を上げました。今日もまた、気づいたら一日が終わろうとしている——「今日も近藤さんたちが一番最後ですね」と笑っている受付の女性に「お疲れ様でした」と声をかけ、私たちは、満足な仕切りもなく、ワンフロアに小さな会社がいくつもひしめきあっているその共用レンタルオフィスを後にしました。

オフィスは閉め出されてしまったものの、仕事はまだまだ山積みです。待ってくださっているお客様のためにも、そのままおめおめと帰るわけにもいきません。ここから私たちの〝アフターエイト〟のはじまりです。

次の舞台は、オフィスから徒歩3分の焼き鳥屋。急な階段を上がると畳敷きの小さな個室があるその店は、私たちのアフターエイトの定番の場所でした。「いらっしゃい！　今

日も来たね！」とニヤリと笑う大将に「今夜もお願いします」とペコリと頭を下げ、生ビールと焼き鳥を適当に頼み、スタッフと一緒に2階に上がります。「乾杯！」と、ここからビールを片手に今日の打ち上げがはじまる――わけではありません。

階段の下からは仕事終わりのサラリーマンたちが声高に話す会話と、焼き鳥の焼けるなんとも言えない香りが上がってくる中、私たちは肩を寄せ合うように座ると、おもむろにノートパソコンを開き、無言で資料づくりや進捗確認の連絡を始めます。日中はお客様のもとへコンサルティングのために伺うことが多い私たちにとってパソコン作業に集中できるのは、ほかの会社が閉まっている夜の時間帯くらいしかありませんでした。いったいどれくらい時間がたったのか。気づけば、時々誰かが思い出したように手を伸ばすだけだった焼き鳥は、座卓の上で冷たくなっていました。

時間はあっという間に過ぎ、さすがにこれ以上はメンバーを拘束できません。「そろそろ出ようか」とスタッフに声をかけ、帰り支度を始めました。

いつものように、来たと思ったらほとんど会話もせずパソコンと睨めっこ。そんな、決して歓迎したい客ではないであろう私たちを受け入れてくれる店主に御礼を言い、店を出ました。目をつむると血走った眼が瞼の裏で、じんわりと染み出てきた涙で潤っていくのを感じました。（あぁ、今日も一瞬で終わってしまったな……）と独り言をつぶやきながら、グーッと背伸びをしました。「じゃあまた明日」と声をかけ、ようやくその日は解散。怒涛の一日を終えたばかりでしたが、帰路につく私の頭の中は、もう次の仕事のことでいっぱいでした。

これが10年前の私、創業期のレガシードの日常でした。ところで、皆さんは「社長」に対してどのようなイメージを描いていますか？　私が子どもの頃には、「社長」は、もっと余裕がたっぷりで、立派なオフィスで、でかい椅子にドカッと座り、夜は豪華なレストランで美味しいお酒と料理に舌鼓を打つ……そんなイメージを描いていました。現実は全く違い、社長になった私は、とにかく毎日走り回って、仕事やメンバーと向き合う日々でした。

最近はベンチャー企業というと、何億円という資金調達をして話題になるようなキラキラしたイメージをもっている人もいるかもしれませんが、レガシードは私の前職時代のわずかな貯金と、創業前に1年半、個人コンサルタントとして稼いだ収入を元手に立ち上げた小さな会社です。お金もない、時間も人手も足りない、社会的信用もない。まともなオフィスも借りられない。月々のキャッシュフローはギリギリ。取引先からの入金を待ち、そこから給料や必要な経費をなんとか支払っているという状態でした。仕事は常に山積み。人手が足りないものの、できたばかりの小さな会社です。待っていても人は集まりません。そこで私はSNSで「〝付き人〟インターン」を募集しました。社長の付き人として普通のアルバイトとは違うスペシャルな体験ができる、現場の最前線でビジネスに触れられるという切り口で、意欲が高く行動力の優れた学生たちにアプローチしたのです。月に3～5人の学生が集まり、その中から一緒に仕事をする中でお互いに共感でき、長く働いてほしい／働きたいと思い合える人材を採用していました。

私たちにできるのは、とにかく必死に働くことだけ。それが嫌だとか恥ずかしいと感じることはありませんでした。「もっともっと仕事がしたい。お客様のために価値を創り出したい」。私の頭の中には、そんな考えしかありませんでした。毎日毎日、働いて、働いて、働いて、働き続けました。私だけではなく、スタッフ全員がそうやってとにかく仕事にフルコミットする日々を送っていました。正直言って、「ブラック企業じゃないか」と指摘されれば弁明のしようもありません。実際、「こんな働き方は続けられない」と言って辞めていったスタッフも一人や二人ではありません。

一方で、「近藤さんの下にいたら必ず成長できるから頑張れ」とスタッフたちを励ましてくれる人々もいました。当時はそれが当たり前だと思っていましたが、今振り返ればあのときの私たちの働き方は「異常」と捉えられても仕方がないかもしれません。お客様や経営者仲間からは「この時代に、そこまでやる会社はないよ」と驚かれました。時には、「あの会社はおかしいんじゃないか?」と揶揄する声があったことも事実です。しかし、何を言われても私のモチベーションを下げることは一切ありませんでした。「あの会社はおかしい」という陰口でさえ光栄だと思いました。私が創りたかったのは、どこにでもあるような平凡な会社ではありません。すべてを超越し、地球上にここにしかないと言われるような会社を創り上げたくて起業したのです。

「人と同じことをやっていて、特別な結果が生まれるわけがない。
これは、世界にたった一つしかない、超超越の会社を創るための第一歩だ」――

そしてまた、仕事に向かうのでした。

「はたらくを、しあわせに。」を目指してひた走ってきた10年間

改めまして、近藤悦康です。「超超越」という暑苦しいタイトルを掲げる本書を手に取ってくださった変わり者の皆さまの中には、すでに私を知ってくださっている方もいるかもしれません。初めて私の本を手に取ってくださった方のために、簡単に自己紹介をさせていただきます。

株式会社Legaseed（レガシード）という人事コンサルティング会社をこれまで経営してきました。人事といっても、業務範囲は多岐にわたります。私たちは「人材採用」の変革プロジェクトを基軸に人と組織にイノベーションを起こす会社です。「働く側」の意識や行動変革と「企業側」の環境や制度変革の両面にアプローチをしながらイキイキ働く人を社会に増やすことを目指しています。

こんな風に表現するとなんだか今風で〝かっこいい〟と思ってくださるかもしれません

が、冒頭に創業時のエピソードをご紹介させていただいた通り、この会社はお金もコネもない中で、すべてを手探りで始めた会社です。ドタバタエピソードなら枚挙にいとまがありません。

ある日は、こんなことがありました。取引成立を目前に、某大手企業の担当者がオフィスを見にくると言うのです。しかしうちの本社は、雑多なレンタルオフィスの中。大手企業の担当者を迎え入れられるようなスペースはありません。こんな状況を見られたら信用してもらえず、契約が無しになってしまうかもしれない……。取引成立を目前に悩んだ私はなんとかビル内の会議室を借りてお客様を迎え入れ、無事に契約締結。そんなギリギリの綱渡りを繰り返しながら少しずつ会社を成長させてきました。

その過程では、お客様満足や会社の成長にばかり気を取られ、社内に意識を向けられずせっかく仲間になってくれた人に、つらい思いをさせてしまった苦い経験もあります。当時は、売上のほとんどを私が一人で稼いでいました。自分自身がコンサルタントとして現場の第一線で走り回ることで、会社が成り立っていました。おかげさまで、お客様は順調に増え、それと同時にご要望の難度も上がっていきました。「もっと人手が必要だ」と新卒採用はもちろん、中途採用も行ったり、友人や知人に入社してもらったりと、とにかく新戦力を求めましたが、実はそうして入ってくれた人のほとんどが、会社を去っていきました。過渡期にある中、当時は私のこだわりの強さから、一つひとつの仕事に対する細部へのこだわりを追求する一方で、会社の方針やルールはほとんど明文化できておらず、いつしか彼らとの間にはすれ違いを生んでしまったのだと思います。人生の大切な時間を投資してくれた彼らに対して、会社として100パーセントのことを返すことができなかったのは、今でも心残りに思っています。

「スレスレ」「瀬戸際」「崖っぷち」……そんなキーワードがぴったりな日々を過ごしてきたレガシードに転機が訪れたのは、創業4年目のことでした。死に物狂いで3年間働いた甲斐あって、3期連続で黒字で決算を締めることができたのです。その決算書を持って、税理士さんから紹介いただいたメガバンクの門を叩いたことで、念願の融資を受けることができました。その額1億円。ギリギリの資金繰りを続けてきた弊社にとって、この1億円はとても大きな意味を持っていました。「これで、未来に向けて投資ができる。飛躍の足掛かりになるぞ！」オフィスに戻る私の胸は期待で高鳴っていました。

2023年、レガシードは創業10年を迎え、12期目に突入します。現在、従業員数は約100名（2023年11月現在）。年商は13億円、粗利益10億円、正社員1人当たりの粗利額2000万円。まだまだ大きな会社とは言えませんが、2025年度の新卒入社の応募は、開始4カ月で1万6000人を超え、ありがたいことに「レガシードに入りたい」と名指しで応募してくれる学生たちも増えました。

これまで、私たちが一貫して掲げてきたミッションがあります。

「はたらくを、しあわせに。」We make work exciting

社会人の一日24時間は4つの構成要素に分かれています。寝ている時間は無意識の時間で、身体の機能の回復に必要な時間です。残りの約3分の2の時間は、はたらく時間、家族と過ごす時間、自由なプライベートの時間に分かれます。このときには意識があるため感情が働き、幸せというプラスの感情を抱くことがあれば、つらい、悲しいなどマイナスの感情を抱くこともあります。この3つの時間の中で比較的幸せがつくりやすいのが、プライベートの時間です。好きな人に会ったり、好きなことをやったり、プラスの感情を生む行動がとりやすい上、さまざまな技術の進歩で快適さや便利さが向上し、私たちのプライベートを満たす商品やサービスは世の中にたくさんあります。一方で課題になっているのが、家族の時間とはたらく時間です。日本には、家族と幸せな時間を過ごすことができていなかったり、はたらく時間を充実させられていなかったりする人は少なくありません。さらにそうした課題を解決するビジネスも、まだほとんどありません。今本書をお読みくださっているあなたは、朝起きて「はやく会社に行きたい！」「今日も仕事が楽しみだ！」というプラスの気持ちになれていますか？

この時間がより充実し幸せに感じられるものになったら、人生の半分が幸せになる。はたらく人々の心の充実や生産性、パフォーマンスが上がって、日本中のはたらく人々がイキイキとしていくと、経済にとってのインパクトはもちろん、子どもたちが「早く大人になってはたらきたい！」と思えるような希望を与えられるのではないか——。そんな想いから「はたらくを、しあわせに。」というミッションを掲げ、日本中の、世界中の人々のはたらく時間をいかに充実させていけるかを真剣に考え、ひたすらに走り続けてきました。

創業から10年経ち、今はさらに広い視野でより多くの「しあわせ」を創るイメージを描いています。はたらく時間、学ぶ時間、幸せの源泉ともいえる家族との時間、そしてすべての土台である健康。「はたらくを、しあわせに。」から「いきるを、しあわせに。」——。そんな壮大なビジョンを胸に、ＩＰＯ（株式公開）も視野に入れ、より社会課題の解決に挑戦できる組織になるために邁進しています。

「超越」＝「自分にしかできない自分だけの価値」

今の私やレガシードの姿を見た人の中には、「ここまで会社を大きくしてすごい」と私を褒めてくれる人もいます。まだまだ目指すべき未来から見れば発展途上であるという認識ではありますが、そうしたお褒めの言葉はありがたく受け止めています。中には、「近藤さんだからできたことだ」という人もいますが、こうした言葉にはつい過敏に反応してしまいます。

近藤悦康だから、レガシードという会社が生まれ、今のカタチになっている。

これは、確かにその通りだと思います。むしろ、そうでなくてはこれまで頑張ってきた意味がありません。自分にしかできない、自分だけの価値を生み出すことを目指して、ひた走ってきたのです。しかし、私と同じような成果を（違う形で）生み出すことは、今本書を手にとってくださっている皆さま、またそのご家族や、一緒に働いている仲間など、すべての人にできうることだと確信しています。

子どものころを振り返っても、私は決して特別優秀な人間ではありませんでした。ずば抜けて頭が良かったわけでも、プロを目指せるほどスポーツの才能に恵まれていたわけでもありません。広い世界を見渡せば、どこにでもいる普通の少年でした。大きくなってからもそれは変わらず、偏差値の高い有名大学を卒業したわけでも、大手有名企業に就職したわけでも、特別な資格を取得したわけでもありません。仕事を始めてから何かものすごいスキルが発揮されたり、眠っていた能力が開花したと思えるようなこともありません。そんな私が、気づけば無形商材のビジネスで年間10億円以上の粗利益をつくり、10万人のビジネスパーソンに向けて講演をし、こうして10冊目となる自著の執筆に励んでいます。

何が凡人だった私を非凡にしたのか？　そこには、私が生きていくうえで大切にしてきたテーマ「超超越」があるように思うのです。辞書を引くと、超越という言葉はこのように解説されています。

1. 普通に考えられる程度をはるかにこえていること。ずばぬけていること。
2. ある限界や枠をはるかにこえていること。また、その物事からかけ離れた境地にあって、問題にしないこと。

私はこれを自分なりに解釈して、「超越」とは、「自分にしかできない自分だけの価値を創造する」ことだと定義しています。20代のころはこの「超越」を目指して邁進してきました。それから仕事を通して多くの優秀な人材と出会ってきました。私にはない特別なものを持っている彼らと手を組むことでチームや組織の力が単純な足し算ではなく、計り知れない巨大なものになることを知りました。「超越」の先、それを私は「超超越」と定義しました。

「超超越」

自分たちにしかできない、自分たちだけの価値を創造すること。「超越」を持つ人が集まり、一人では決して到達できない目的を達成すること。互いの「超越」をぶつけ合うことで、社会や世界、地球までをも変えるほどの力を生み出すこと。

レガシードという会社は「超超越」を体現する会社です。会社を経営する中では、つらいときも、思いがけないピンチに苦しんだときもありました。そんなときはこの「超超越」という人生のテーマを思い出し、人間のもつ可能性を信じ、なんとか踏みとどまってきました。その日々の積み重ねが、今の私、そして株式会社レガシードを形成しているのだと思います。

今の私を評価してくださるのであれば、そこに必要だったのは特別な能力や才能ではありません。「自分にしかできない価値」を見出し、ただひたすらにそれを磨いていくこと。そして「自分にしかできない価値」をもっている仲間と出会い、彼らと共に成長していくこと。つまりは超超越を目指す姿勢に尽きます。そのように考えると、どんな人にでも成功のチャンスは眠っていると言えるはずです。

小さな出来事から、最高の物語がはじまる

本書は私の人生、そしてレガシードという会社の過去・現在・未来をコンパクトにまとめた「ストーリーブック」と言える一冊です。なぜわざわざ自分の人生を本という形にして世界に発信するのか。それは、私が大切にしてきた「超越」「超超越」という概念こそ、今を生きる人々に必要なのではないか、と思うようになったからです。

特別な才能や能力を備えていなくたって、どんな人だって必ずその人にしかない特別な価値（またはそのポテンシャル）をもっています。しかし、私の肌感覚では実に9割以上の人が、自分自身の価値に気づくことも目を向けることもせず、「私なんてどうせ……」と自分の可能性にフタをしています。こんなに勿体ないことがあっていいはずはないのです。この仕事をはじめてから、数十万人以上の人々と出会ってきましたが、自分で自分の限界をつくっている人たちを見るたびに、なんとも言えないはがゆい思いを抱いてきました。それならば、これまでの私の生き方、考え方、決断を共有することで、「そういう見方があったのか」「近藤さんにできたのなら、私にもやれるかもしれない」そう思ってもらえるのではないかと考えるようになりました。

もともと英語で、歴史を表すhistoryと物語を意味するstoryは共通の語源をもっています。その根っこには「個々の出来事がつながって物語になる」という考え方があるそうです。一人ひとりの人生も、会社という組織の歩みも、一つひとつの小さな出来事が連鎖して物語となり、それがまたつながっていくことで、後世まで語り継がれる歴史になります。近藤悦康という一人の男の物語を世に晒すことで、誰かにとってのなにかのきっかけになり、ひいては大きな歴史をつくる一歩になるかもしれない、という期待もあります。

私の体験は偶然が重なったわけでも、幸運のチケットを手に入れたわけでもありません。少しおこがましく聞こえるかもしれませんが、うまくいくための発想や行動をとった結果、自分が理想とする未来が生まれているのだと確信しています。これは皆さんも同じような発想で、理想に向かって行動すれば、夢や志といった願いがかなえられるということです。

本書は、「レガシード？　なにそれ？」「近藤悦康？　誰それ？」という人にとっても読む価値があると思ってもらえるように、無味乾燥な「記録」ではなく、ドキドキ、ハラハラ、ワクワクが入り混じるドキュメントになることを目指しました。私の一人語りばかりでは面白くないと思い、私やレガシードを取り巻く多くの人たちからの声＝ストーリーも収録しました。多角的に語られる近藤悦康という一人の男の人生に、ときに笑ったり、あきれたり、考えてみたり、うなずいたり、首を傾げたり、そしてちょっぴり、否、おおいに未来に向かうエネルギーにしてもらえると嬉しいです。

「私が人と違ったことはただ一つ。
超超越を目指し続けたことだけです。」

モチベーションがない人は、この世に存在しない

コロナ禍以前から、ビジネスの世界はそれまでにない大きな変化に直面していました。その一つが働く人々の価値観の多様化、過去の常識の崩壊です。一昔前であれば、人を動かすためには昇給や出世、つまりぶらさげられたニンジンが効果的でした。今ではそうしたご褒美はすっかり輝きをなくし、ましてや上司の命令だけでメンバーを動かすことは難しくなりました。特に若い世代では、お金以前に、働くことの意味やしあわせを見出せないという切実な声が年を追うごとに増えています。

昨今、企業様からよく相談される悩みの代表格とも言えるのが、人と組織の問題です。「社員にやる気がない」とか「定着しない」「思うように活躍しない」というものです。こうした問題の原因は、若い世代のモチベーション低下であると捉えている人が多いですが、私に言わせればそれは大きな誤解です。

そもそもモチベーションというのは、ある人とない人がいるわけではありません。モチベーションはすべての人に備わっていて、重要なのはそれをどこに向けて使っているか、

です。仕事に対するモチベーションがない人でも、家に帰ってゲームをしたり、海外ドラマを見たりすることには熱中できます。朝起きるのが苦手で遅刻魔だった人が、今では子どものお弁当づくりのために毎朝5時起きだと笑っていたりもします。そのように、モチベーションを使う場面は人によってさまざまなのです。「社員にやる気がない」と思うのであれば、その会社自体がモチベーションを発揮する場所になっていないのでしょう。

では、社員がモチベーション高く働くうえで、最も大切な要素とは何でしょうか？　お金、安定、会社のブランド……いいえ、そうではありません。答えは、「理想」です。

私たちは誰しも心の中に理想をもつことができます。特に仕事に対しては「自分以外の他人や社会のために果たしたいこと」を考えることが可能です。

・自分にしかできない価値を創造する
・他人や社会に貢献する
・その対価を感謝や信頼やお金としていただく

この一連の生産活動を繰り返すことで、成長し、豊かで理想的な人生へと近づいていきます。このサイクルを充実させ、拡大させていくことで自己肯定感とモチベーションが高まり、最終的には自分の夢をかなえ、人生が豊かになることにもつながります。

このサイクルはそのまま「超越」のためのプロセスでもあります。いい仕事をするぞというワクワク感。本気でそれを成し遂げた後の充実感や達成感。お客様に褒めてもらったり、感謝されたりの中で得られる〝後味〟。そんな最高のスパイスとともに「自分にしかできない価値」を見出し、磨き、社会を、世界を、地球を変える力にまで押し上げていくのです。

言葉にすると、「なんだそんなことか」と思われるかもしれませんが、そこに至る道は決して平坦ではありません。レガシードも先に挙げたエピソードをはじめ苦しい場面がたくさんありました。

私自身、今もすべてが思い通りに運んでいるわけではありません。私も、お客様に喜んでいただき、会社の収益を上げ、社員にやりがいと経済的な豊かさをもたらし、さらには社会をより良くするお手伝いをしていきたいと日々考えていますが、まだまだできていないこと、理想通りの状況になっていないのに手すらつけられていないことも少なくありません。一つの壁を乗り越えたと思ったら、また次のさらに大きな壁に阻まれ、心が折れそうになったことも数えきれません。

それでも、共に壁を乗り越えてくれた仲間たちは立派に成長し、今やレガシードという会社は私一人が引っ張る会社ではなくなりました。頼もしい経営幹部、メンバーたちに支えられ、さらなる発展と理想の実現へ向けて、会社自体も新たなステージに入ろうとしています。

「一人では到底到達できなかった次元へ、突入しようとしている」

「会社のアイデンティティ＝創業社長のキャラクター」から脱却する

これまでの10年間、レガシードという会社は良くも悪くも近藤悦康という創業オーナー社長の会社でした。レガシードといえば近藤。レガシードの理想と言えば、近藤の理想。おそらくこれまで一緒に働いてきてくれた仲間たちの半数以上が、「近藤という人間は（決して完璧ではないにせよ）一緒にいて面白い」と、社長である私に対する想いから仕事を続けてくれているのだと（勝手ながら）考えています。メンバーや入社を希望する就活生には一人ひとりに私が夢・未来を語ってきました。まだ無名の若い会社だからこそ、この先のイメージを発信していくしかない、と考えたのです。しかも、その場合の〝主語〟は会社ではなく、社長である私でした。レガシードはこういう会社で、私はこれからこの会社をこういう風に成長させていき、こういう組織と経営を実現しますということを、膝を突き合わせて話してきました。そこに惚れて仲間になってもらうことが第一歩だったのです。その点に少しでも疑念が湧いたり、不信が生まれたりしてしまえば、とたんにうまくいかなくなりました。言葉はいささか悪いのですが、私という人間にみんなが振り回され、いい意味で巻き込まれ、魅了されてきたのがレガシードという会社の最初の歩みだった気がします。

きっとこれは、レガシードに限ったことではないと思います。創業経営者は、自分が主体・自分が主役で会社をつくり、自分が主人公としてその会社がはじまります。しかし、どこかのタイミングで社長は主役を降り、社員が主役になるように、社員を応援する立場へと変わらなくてはなりません。社長の手柄ではなく、社員の手柄。社長が目立つのではなく、賞賛は社員へ。社長一人の会社ではなくなったとき、その会社はより大きく成長することができるのです。

10年の歩みの中で、レガシードも近藤悦康だけの会社ではなくなりました。私一人の「超越」ではなく、メンバー一人ひとりが「超越」をもち、それをぶつけあって、磨き合ってほかのどんな会社も真似できないほどの世界に一つだけの「超超越」を生み出していきました。それだけのエネルギーと価値がある会社だと自負しています。

10年という節目を迎えて、この先は、また少し角度が変わります。これからは、私がいなくても超越、そして超超越の環が広がっていくことを目指しています。私が目指す理想の組織像は、「社長がいなくなったとしても、永続発展する組織」です。私が関わらなくても、世界中の人たちに良い影響を与えられる会社へと進化していきたいと考えています。

創業10年という節目に、これまでの歴史と未来に対する展望を記すことができる幸運に心より感謝します。

N＝1のエピソードで終わるのではなく、本書を読んでくださっている読者の皆さまと、ここから「超超越」の環を創っていきたいと心から思っています。これからの社会人人生に不安を抱いている若者も、会社の行く末に悩んでいる経営者も、「なんだこれ？」と手に取ってみただけのそこのあなたも、私の人生が何かちょっとでも、学びや気づきのきっかけになれば、これほど嬉しいことはありません。

「『超超越』で、世界を変える力を、私もあなたももっています」

第2章 社会に出て、ようやくつかんだ「超超越」の輪郭

第1章

人生の意味を探し、もがき続けた「超超越」の原点

絶望と同時に生まれた問い「人生は何のためにあるのか」

私はよく、就活中の学生に「あなたの生きる意味、目的は何ですか?」という質問をします。ほとんどの学生が、一瞬ポカンとします。初めて会った人にいきなり「生きる意味、目的」を問われても困ってしまいますね。ほとんどの学生は「うーん……(わかりません)」と首をひねるだけ。なんとか「幸せになること」といった答えを導き出してくれる人もいます。

人生の目的に正解なんてものはありませんが、そうした学生たちの姿を見ていて私が感じるのは、圧倒的な当事者意識の欠如です。自分が幸せになりたい、でも良いのですが、「じゃあどうやって」「私は何をするのか」という視点がすっぽりと抜けています。大手企業に就職すれば幸せになれるだろう、結婚すれば幸せになれるだろう……会社、両親、配偶者、社会の制度など目の前にある何かを頼ることで「幸せになる」絵しか描けていないのです。要は他力本願で他人まかせ——自分の人生の主人公は間違いなく、自分自身です。「誰かに幸せにしてもらう」のではなく、自分で幸せをつかんでいくのだという意識をもってもらいたい、と私は彼らの姿を見ていて強く思います。

「あなたの生きる意味、目的は何ですか？」と問われたら、20代の私であれば「自分にしかできない、自分だけの価値を創ること」と答えたでしょう。本書のテーマである「超超越」、その前段にある「超越」の考え方です。

とはいえ、もちろん私も赤ん坊の頃から超越を目指していたわけではありません。このように考えるようになったのは高校生の頃からです。この時のふたつの強烈な記憶、〝原風景〟ともいうべきシーンの映像は、今でも私の頭の中に鮮明に思い出されます。

原風景の1つ目は高校2年の9月、父が死んだ日の朝に病院の窓から見た景色です。

父は岡山市で、わりと知られたジャズバーを経営していました。ところが私が小学校5年の頃に癌が見つかり、生活は一変しました。当時の医療では手術もままならず、初めは余命半年と宣告されましたが、父の努力と母の献身的な介護により、私が高校に入った頃も、父は頑張って病気と闘っていました。一方で、店主の働けなくなったバーは畳まざるをえなくなりました。収入は激減した上に、入院費はかさみ、経済的にどんどん苦しくなっていきました。その後は祖母の家へ移り、母が通信教育の添削の仕事をしながらなんとか家計を支えてくれました。手で触れればポロポロと壁が剥がれてくるような、豪邸とは程遠い家に住み、雨の日には雨漏りがしてくるので、バケツをいくつも家の中に並べていました。日々の生活は質素そのもので、私の洋服は先輩からもらったお古ばかりでした。

お金はないなりに、当時の私は充実した青春時代を過ごしていました。それでも現実というのは残酷なもので、最後の日はやってきます。父が亡くなる数週間前くらいには、何となく最後の時が近いことを予感していました。中学生の頃からずっとやってきた野球部の練習にも身が入らなくなり、学校も休みがちになりました。家でも自室に引きこもり、我流の詩を書いたり、書道をしたりしながら時間を過ごしていました。父が亡くなった日も、私は「天」という漢字を書いていました。

ある日の朝方。「いよいよ危ない」と連絡が入り、私は夜明けの町を自転車で無我夢中で病院まで向かいました。あとにも先にも、あんな速さを体感したことはありません。まるで宮崎駿さんの映画作品のなかの出来事のようで、空を飛ぶような感覚で病院に駆けつけると、かろうじて父の息はありました。ホッとしたのもつかの間、数分後には心電図の波が動かなくなり、ピーッという無情な音が病室に響きました。母が泣き崩れる様子を横目に、私は放心状態でとにかく朝の光を入れようとカーテンを少しだけ開けました。

この日窓から覗いた景色が、いつまでも頭にこびりついて離れないのです。

窓の外にあったのは、「変わらぬ日常」でした。目の前の道にはたくさんの車が走り、スーツを着た大人たちが早足で歩き去り、何やら大声で話しながら楽しそうな子どもたちが学校へ向かっていました。私は病室の中で絶望の淵に立たされているのに、ガラス一枚隔てた先は、いつもの朝と同じで、少しも変わるところがない…。

「ああ、親父は死んだけれど、社会は何もなかったように動くし、地球も何も変わらずに回っているんだな」――

ふと、そんな考えが頭に浮かんできました。では、自分はどうなんだろう？　きっと今この場で死んだところで、間違いなく社会は動くし、地球は何事もなかったかのように回り続けるに違いない。

「じゃあ、自分は何のためにこの地球に存在しているんだろう？」

このあまりにも本質的で難解な問いは、父が私に残してくれたラストメッセージだったのだと受けとめました。それから私は、自分の生きる意味や目的を、取りつかれたように探すようになりました。

父が亡くなった日、僕は一編の詩を綴りました。

七階東病棟は嫌だった
独特の匂いと暗さに足を竦《すく》めた
毎日のように魂は奪われ
泣きじゃくる家族の空気を今日も吸う
屋上に干される白いシーツがまた海底に遭難する
ドクターXに猶予はない
抱きしめて悲しみを拭《ぬぐ》いさる
走る

走る
繋がれたそうだ
心拍数
脈拍数
デジタルウォッチャーは
短調と長調の行き帰り
ボンベが泡を噴く
瞳孔《どうこう》に過去が血走る
握力は測定不能
冷たい

冷たい
こぼれる鉛《なまり》は灼熱《しゃくねつ》
握る手にいっそうの力が蘇《やど》る
歴史を一瞬に集約されたはずが
ありふれた言葉しか吐き出されない

繋がれた鎖《くさり》を鬼の形相《ぎょうそう》で
もぎ取ってゆく
出逢い
別れ
駈ける

駈ける
「一人になりたい」
「あまりにも身勝手だ」
心を抉《えぐ》る

「氷点下のリズム」

初めて「超越」を目の当たりにした瞬間

「自分は何のためにこの地球に存在しているのか」――そんな根源的ともいうべき問いに取りつかれた私は、ますます学校に行く気がなくなりました。当時、通っていた高校は、東大や京大合格者を毎年多数輩出している岡山県下では一番の進学校でした。しかし自分の生きる意味を探し始めた私は、教科書に出てくる微分や積分といった問題に少しも意味を見出せませんでした。「そもそも、東大や京大なんかの偏差値の高い大学に行く必要はあるんだろうか？」と、次から次に疑問が湧いて素直に授業を受ける気になんてなれなかったのです。

そんななかで、わずかでも学校へ行こうという気になれたのは、「書道」があったからです。書との出会いは偶然でした。高校の入学式の日、芸術の選択科目を美術・音楽・書道から選ぶように担任の先生から案内がありました。私は音楽を選択するつもりだったのですが、人数が多いので、何人かが書道に回らなくてはいけなくなりました。その様子を見ていた母が「この学校の書道はすごくユニークだし、あんたに合ってるんじゃない？」

と言うのです。母も同じ高校の出身でしたので、ＯＧが言うのであれば、と素直に書道に移ることにしました。今振り返れば、その時の〝選択〟が、私自身の人生を大きく変えることになりました。

父の死後、ますます引きこもりになっていた私のところへ、書道の曽我英丘先生だけが、ときどき心配して電話をかけてきてくださいました。曽我先生は書道界でかなりの有名人なのですが、当時の私はそんなことはまったく知らず、選択科目のおじいちゃん先生くらいに思っていました。曽我先生は「授業には出なくていいから、書道部にきて、書道をやらないか？」と、粘り強く声をかけてくれていたのですが、前を向く気になれなかった私は、先生の誘いを断り続けていました。

ある日、自宅の前から「近藤君！」という大きな声がしました。すぐに曽我先生だと気づきました。「これから書道部の合宿があるから、荷物をまとめて車に乗りなさい」と、そのまま拉致同然に鳥取県の大山に連れて行かれたのです（連れて行っていただいた、という表現が正しいのですが、17歳の私は無理やり連れて行かれている気分でした）。

合宿所には、書道部の人たちが集まっていました。私も、書道は2年近く授業で曽我先生に教わり、自分なりに面白さも感じていたので「まあ、ここまできたらやるしかないか」と腹をくくりました。書道といえば先生が書いてくれたお手本を見ながら、正座をして、墨をすって、静かに練習する、いわゆる〝お習字〟を思い浮かべる方が多いのではないでしょうか。私もそうでした。ところがその場で目の当たりにした光景は、私の想像とはまったくかけ離れたものだったのです。

荷物を置くと先生が「外へ行くぞ」と言い、皆でブルーシートを持って合宿所の外に出ました。書道部員たちはてきぱきとブルーシートを敷きつめて、そこにまた畳２～３畳分もあるような巨大な紙を広げました。そこに箒かと思うほどの大きな筆を抱えた先生が立ち、「おおぉぉぉぉ」という唸り声のような深い吐息を響かせながら、大きな筆を動かし始め、大自然の中で何かを描き始めました。

その様子を見ている間、私はまるで、時が止まっているかのように感じました。曽我先生の凄まじい集中力は、その場の空気をピンと張りつめさせました。音も風も止まり、まるでブラックホールに吸い込まれたような感覚になった私は、ただひたすらに曽我先生の姿を凝視していました。

「自分はなんて常識にとらわれた、狭い世界に生きていたんだろう」

衝撃が、私の身体の中を突き抜けました。

そこに描いてあるのが、何という文字なのか、どういう造形物なのか私にはわかりませんでした。字の形だとか、バランスだとか、そんな当たり前の尺度とはまったく次元の違うものです。そこには、今まで自分の思っていた書道をはるかに超える、言葉では表現できないすごさがありました。

「お手本通りに書く」とか「1＋1＝2」とか、これまで自分が当たり前と信じて疑わなかったものを根底から否定されたような経験でした。曽我先生の書一つで、私のこれまでの価値観はすべて壊されたのです。紙の白と墨の黒の描き出す世界に一瞬で魅了されました。

「何が描かれているんですか？」と尋ねると、先生は、ひと言「宇宙」とだけ答えました。

確かに！　これはまさに宇宙だ！　文字としては認識できないのに、そこに書かれているものが宇宙であることはハッキリと感じ取ることができました。

私はこの日、完全に打ちのめされました。自分はなんて常識にとらわれた、狭い世界に生きているんだろうと、恥ずかしささえ覚えました。東大や京大に入ったらすごいとか、お手本通りに書いたら金賞がもらえるとか、そんなことはどうでもいいことじゃないか！

「こんなにも、自由でいいんだ」

それはもう、一流を超えた超一流、異次元であり、異空間でした。

これが、私の人生を決定づけることになった〝原風景〟の2つ目です。当時の私の辞書にはまだ「超越」という言葉はありませんでしたが、私が初めて目の当たりにした「超越」の瞬間でした。

それからの私は、書にのめり込んでいきました。大学でも、社会に出てからも、そして今も折にふれて筆を握り、真っ白な紙と格闘するのが自分を見つめる大切な時間です。書というのは、とても制約条件が多い中で、自分の内なるものを表現する行為です。色は紙の白と墨の黒のみ。線や点だけで構成されていながら、線の太さ、余白ひとつでその表情はまったく異なります。私は書に触れるたびに感性が研ぎ澄まされる感覚を得ています。やりなおしはできず、その一瞬のエネルギーがカタチになるところなど、まさに人生のようだとさえ思えます。

「塔を建てたい！」という突然の欲求

書道をきっかけに芸術に興味を抱くようになり、県内や近県の美術館にも通うようになりました。また、修学旅行で行った箱根では、曽我先生と一緒に「彫刻の森美術館」を訪れピカソや岡本太郎の作品にも触れることができました。次第に平面とモノトーンで構成される書だけでなく、立体と色彩を使った世界へと私の創作の幅は広がっていきました。

高校2年生の春、私は大阪に向かっていました。岡本太郎氏が制作した「太陽の塔」をどうしてもこの目で見てみたかったからです。

そこにそびえたつ存在感や、太陽の塔がはなつエネルギーに私は圧倒されました。一見、自然の中には不釣り合いなものであるはずなのに、その場に立っている意味を感じさせられました。大阪で開催された日本万国博覧会（通称：大阪万博）のテーマは「人類の進歩と調和」だったといいますが、太陽の塔からは、まさにそれを感じました。

また、その時は中に入ることはできなかったのですが、近くにあったお土産屋さんに太陽の塔の内部について書かれていました。内部には「生命の神秘」「現代のエネルギー」「未来の空間」といったテーマで、地球の過去・現在・未来の軌跡を表現してあったそうです。そこに描かれた世界観に、私はさらに感動しました。

次の瞬間には、訳もわからず「塔を建てたい！」という思いに憑かれている自分がいたのです。一目散に岡山に帰ると、その足で画材屋に飛び込み、針金と紙粘土を買って、自分にとっての〝理想の塔〟の模型をつくりました。モチーフは「草」。草が根を地面に這わせて、空高く伸びていく様子が、自分の若いエネルギーを象徴しているように感じられ、それを造形にしたいというイメージがあったのです。当時は書の制作でも好んで使っていた漢字です。

そして、塔を建てたいと感じたとき、頭に浮かんだ場所は自分が通っている高校の校庭でした。なぜ高校なのかとか、なぜ塔なのかと問われても理屈はわかりません。ただ、当たり前のようにそう感じたのです。

出来上がった模型を持って、私は早速高校に行き、担任の先生に直談判をしました。当時の私は、書との出会いで引きこもりではなくなったものの、まだ学校にはほとんど通っていない、いわゆる不登校状態でした。

「先生、校庭に塔を建てたいんですけど」——久々に顔を見せたと思えば何を言うかと、先生にはすっかり呆れられました。「学校は塔を建てるところじゃない……。まずは授業に出なさい」と諭されました。しかし、そんな言葉で大人しく引き下がるわけにはいきません。当時から「したい」と思ったことは絶対に形にしないと気が済まない性格だったので、(とにかく建てたい、いや建てる!)と、実現に向けて動き出しました。

初めは、母の知り合いの建築家の方を紹介してもらいました。しかし、学校の許可が取れていないという事情もあり、その方には「素人が建てるのは難しい」と取り合っていただけませんでした。(なんだよこの大人。建築家なのに使えないな……)と心の中で毒づき、次の手を探し始めました。

あれこれと探っていると、宮木君という友人のお父さんが建築家だという話を聞き、すぐ相談に行きました。宮木君のお父さん曰く、塔を建てるためには、下にどれだけ掘っていいかをまず確認しないといけないそうです。建築基準法で、塔の高さに対して、必要な基礎の深さが定められているのだと教えてもらいました。学校側に確認すると、1メートルくらいは掘っていいとのことで、それであれば7、8メートルの塔なら建てられるということでした。

「太陽の塔のような何十メートルといった高さにはならないがいいか？」と宮木君のお父さんに聞かれましたが、僕にとって高さはまったく問題ではありませんでした。僕はまた、担任の先生のところに直談判に行きました。

「太陽の塔のような大きさにはならないです。校庭なので、7、8メートルくらいの塔になりそうです」と伝えたところ先生からは「建てられると、建てていいは別問題だ。高さは問題ではない。学校は塔を建てるところではない」と、また一蹴されてしまいました。

それでも私は諦めきれず、塔を建てるための準備をどんどん進めました。物理で一番の成績だった久保田君に設計図を描いてほしいと頼むと、面白がってすごく真剣に、図面を引いてくれました。同時並行で、宮木君のお父さんは鉄鋼で土台をつくってくれたり、足場を発注してくれるなど基盤を準備してくださっていました。

いよいよ工事スタート、といきたいところですが、そもそも学校側からはまだ許可をもらえていません。そこで大義を掲げることにしました。ちょうど学校の文化祭が50周年を迎えるという話を聞き、このチャンスを利用したのです。各クラスそれぞれ出展枠があったのですが、僕がいた進学クラスは何もやらないということだったので、名義を貸してもらいました。「50周年の記念モニュメントを建てる」という体裁で自分のクラスの参加テーマとして、学校へ提出しました。

しっかりと筋を通したことで、学校としても一応は受け入れないわけにいかなかったのでしょう。ようやく職員会議にかけてもらえることになりました。しかし、まだ安心はできません。そもそもこちらの味方になってくれそうなのは曽我先生くらいしかいないのです。なんとか強い後ろ盾が欲しいと思い、卒業生名簿をチェックしたところ、当時の県教育委員会の偉い方が高校の先輩だということがわかり、応援を頼みに行きました。その方は「それは素晴らしい企画だ、ぜひやりなさい」とわざわざ校長に電話までしてくださいました。実現のためには手段を選ばず、できることはすべてやりました。

おかげで、めでたく学校からの許可は下りたものの、そこからがいよいよ本番です。今はまだようやく企画が通った段階。ここからは、描いた絵を実行しなければいけません。それはまた骨の折れるものでした。

「そうだ、みんなに頼んでみよう」

と、すぐに頭を切り替えました。一人でやるよりも、みんなの力を借りたほうがきっとうまくいくはずだ、とひらめいたのです。さすがに県内トップの進学校だけあって優秀な人材は豊富でした。その後の人生でも何度も痛感することになるのですが、頼れる仲間、自分にない才能をもったメンバーを集め、みんなの力を結集できるかどうかが、成功のカギを握るのです。

建設作業に必要なマンパワーも、12人の同級生が自分から手を挙げて参加してくれました。正直、クラスの人たちは学校の許可を取るための〝名義貸し〟くらいで協力してくれていると思っていたので、そうやって積極的に関わってくれると言ってくれたときはとてもうれしかったです。中にはほかのクラスから参加してくれたメンバーもいました。受験前の大事な時期に力を貸してくれた彼らには、今も感謝しています。

さて、与えられた準備期間は10日間。さらに学校からは塔の建設に際して3つの条件が出されました。

ひとつ　きちんと授業に出ること。
ふたつ　卒業までは建てておいていいけれど、卒業までには壊すこと。
みっつ　校則を守ること。

最初の2つはもちろん異議なし。そもそも文化祭期間が終われば取り壊されると思っていたので、むしろありがたいくらいでした。さらには「どうせ建てるなら隅っこでなく、一番目立つ場所にしろ」とのありがたいご指示までありました。ところが3つ目の「校則を守る」という条件には頭を悩ませることになりました。

授業終了後からとなると、建設作業を始められるのは17時、18時からとなります。また校則で21時には下校しなければいけないという決まりもありました。そうすると、正味活動できるのは3時間×1週間で約20時間あまりしかありません。これでは完成させられそうもない。そこで私は一休さんばりに頭をひねって考えました。校則には確かに「下校は21時」となっているものの、「朝は何時からしか来てはいけない」というルールはない、ということに気づきました。それならば翌日の0時1分ならいいだろうと。21時にいったん下校した後は、全員で一度、学校の近くのメンバーの家に行き、交代で風呂へ入って、晩飯を食べて、仮眠して、それで0時になると塀をよじ登って〝登校〟して、小講堂の電源を拝借し、近くの作業場から借りた投光器を焚き夜通し作業を行い……、こんな調子で1週間ひたすら塔の建設に励みました。私の母も深夜の作業の際には保護者として付き添ってくれたり、皆の分までおにぎりを用意したり、と応援してくれました。

素人の寄せ集めですので、建設中もトラブル続きでした。軍手でセメントをこねてしまい手がカチカチに固まったり、雨が降ればあわててブルーシートをかぶせて塗った色が落ちないように守ったり、悪戦苦闘の連続でした。いろいろなことがありましたが、文化祭当日の朝、ついに塔は完成しました。

朝日を背にそびえたつ塔を一人で見ていると、自分の心の内から声が聞こえてきました。

「みんな、塔なんて建てちゃだめだとか、無理だとか、好き勝手言われたけれど、できたじゃん。」

人が無理だとか不可能だとかいうことも、諦めずにやればできるんだと、私はこの瞬間に知りました。そして同時に、「自分にしかできない自分だけの価値が生み出せるなら、自分もこの地球にいていいいんじゃないか」そう思えたのです。

この、塔を建設した経験は、私の中で強い成功体験として残ることになりました。何かをやろうとすると、反対勢力や拒絶に遭うことがあるということも、それでも粘り強く交渉して逃げないことの重要性も、一人ではできないことも優秀な人材に自分から声をかけていくことで可能になることも、この塔の建設という一連のプロセスの中で深く学びました。そして、自分が本気で成し得たいということは、成し得るという確信も得ました。

この塔を建てられたのは世界に自分しかいないはずだ。自分にしかできない、自分だけの価値が生み出せるのなら、この地球にいてもいい。自分にしかできない、自分だけの価値があるってことは、自分が死んだら地球が困るということだから、自分にも存在する意味がある――。父のラストメッセージの解が塔を建てたことで明確になり、確信に変わりました。

〝プロ〟つながりで、プロジェクトマネジメント学科に入学

さて、人生の意味に悩んだり、不登校になったり、塔を建てたりしている間に、私の成績はすっかり落ち込んでいました。入学した時は前から数えたほうが早かったはずですが、ろくに授業にも出ていませんし、気づけば学年400人中の370番。学校側からも進学に対しては、何の期待もされていませんでしたし、私自身も何の準備もしていませんでした。とりあえず地元では進学先として王道だった岡山大学の要綱を取り寄せてみたものの、読んでいてもちっともワクワクしてきません。その思いを正直に母に伝えてみました。

「じゃあ何がしたいの？」

「自分にしかできない、自分だけの価値を創造したい」

「その価値というのは何なの？」
「まだわからないけれど、興味があるのはプロデュースすること——世の中に何かを企て、仕掛けること」
そんな会話をしたことを思い出します。

ある時、母が全国の大学の学部や学科が一覧になっている分厚い本を買ってきて「全国にこんなに大学があるよ」と見せてきてくれました。その本には、どの大学でどんな勉強ができるということが細かく書かれていました。

時代はちょうど、小室哲哉さんが一世を風靡していたころです。社会にムーブメントを起こすプロデュースという仕事に魅力を感じていました。これは自分に向いているのではないかと、母が買ってきてくれた大学一覧をパラパラとめくりながら「プロデュース学科」がある学校を探してみたのですが、そんなものはありませんでした。「プロ」が付くのはそのほとんどが「プログラミング学科」だったのですが、その中で1校だけ「プロジェクトマネジメント学科」というものがあるのを見つけました。調べてみると、ヒト・モノ・カネそして情報・時間というのをいかに活用してプロジェクトを成就させるかという、当時の日本では先進的だったプロジェクトマネジャー養成（ただし世界ではすでに当たり前）に向けた学科だと書いてあります。さらに幸いというか、当時はまだ専門の研究者がいないということで、外資系企業のプロジェクトマネジャー経験者が講師陣だという点にも、強く惹かれました。

「プロジェクトマネジメント学科」があったのは、私立の千葉工業大学でした。

「プロジェクトマネジメントを学びたい」とようやく目標が決まったものの、母はいい顔をしませんでした。千葉工業大学は私立大学です。当時の我が家は家計も苦しく、私立に通うのはかなり厳しい道のりでした。しかも当時は学科創設2期目で偏差値も45といったレベルでした。偏差値70の高校にわざわざ通わせたのに、東大や東京工大ならわかるけど、なんで偏差値の低い聞いたこともない千葉工大の、よくわからない新設学科に行くんだと、母に真っ向から反対されました。毎晩のように侃々諤々《かんかんがくがく》の議論をしましたが、私の一言が決め手でした。

「東大を出た人と、千葉工大を一番で卒業した人と、社会に出てどっちが活躍するかわからないよね？」

そう言って啖呵を切ると、「たしかにそうだよね……でもそこまで言うなら、一番で卒業しなきゃ親子の縁を切るよ！」と渋々ではあるものの認めてもらうことができました。私の勝手な想像ではありますが、この時点で母は（この子はもう決めているな）と、私の決意を感じ取っていたのだと思います。母はいつだって、私の意思が固まっている選択については最大の応援者になってくれていました。

実はそれまで私は、人生における選択で、自分で決めたという経験はあまりありませんでした。野球も父親がやっていたから始めましたし、高校も母の母校であり地元で名前の知られている進学校でありしかも公立だったので授業料が安いという理由で選びました。書道を選択したのも成り行きです。いつもの私なら、地元の国立大学である岡山大学にすんなり流されていただろうと思います。ここで意思を持って選択したのは、塔を建設したことによって「自分にしかできない、自分だけの価値を創造したい」という自分の生きる目的（使命）に気づいたからなのだと思います。

私立大学の入学金と授業料は、亡くなった父の生命保険のわずかなお金を全部使っても足りないほど高額でした。母が親戚に借金をさせてもらい、なんとか支払うことができました。お金を借りるために頭を下げる母の姿を見ながら、「自分は両親のおかげで大学に通うことができるんだ」という事実を胸に刻み、「この学校にあるすべてを奪い取ってやる！」と強く、強く心に誓ったものです。

母に一番を取ると約束した以上、すべての科目でSかA、点数でいえば80点以上の成績を取らなければいけません。とはいえ、ときにはCとかDという評価がついてしまうこともあります。そのときは、教授に「来年もう一度受けさせてください」と直談判をしに行きました。普通は成績なんてどうでもいいからなんとかして単位を取ろうとするのに、受け直したいなんていう人は私だけだったようで「おかしな人だね、君は」と苦笑いされていました。保留した単位分を埋めるためにも、とにかく単位をとりまくりました。2年目の時点で卒業資格の120単位を取得し、あとは論文に集中しようと思っていたのですが、ある日学校から呼び出しがありました。

「近藤君、1年で取っていい単位の上限があるの、知ってる？」――。勉強をしないで怒られるならともかく、し過ぎて注意されるという、なんとも不可解な経験もしました。

猛スピードで単位を取得した裏には、母との約束もありますが、スピーディーに最速で最高の結果をつくりたいという自分の性もあったと思います。大学で学んでいるうちに、授業で知識を学ぶだけでなく、せっかく学んだプロジェクトマネジメントのノウハウを実地で実験してみたいという気持ちが沸いてきました。

時代は、Windows 95が出たばかりで、スマホはおろか携帯電話もようやく普及し始めたところです。のちのITバブルはまだまだ先のこと。何をやろうかと考えたときに、大学生だった私が思いついたのがイベントのプロデュースでした。初めは友人を集めてちょっとしたイベントを企画してみたりしていましたが、ふと「大学祭」に目を付けました。当時の千葉工大の大学祭は、学費から数千万円ほどの予算が捻出されていたのですが、芸能人を呼んでただ浮かれているだけで、学生の自己満足で終わってしまっているようなイベントでした。もっと来場してくれた方や地域の方にとっても価値のあるものをつくれないかと考え「文化の祭典」というイベントを企画しました。

6月に開催したこのイベントには2つの目論見がありました。1つはサークルの新入生勧誘。サークルを永続的に発展させるためには、毎年新しい人を入れ続けなければいけません。春に十分な数の新人を確保できなかったサークルにとって、新たな人に声をかけるチャンスをつくりたかったのです。そしてもう1つが4月に入った新しいメンバーにとっての発表会です。初年度は発案者である私自身が最前線に立つしかないと、これまた自分で組織した書道サークル「書芸倶楽部」を中心に仲間を募って、運営を行いました。

学校との半年間に及ぶ交渉の末、許可を取り、300万円の予算と空き部屋という名の倉庫を一つ割り当ててもらいました。まずは倉庫の掃除からはじまりました。それから、冷蔵庫やソファなどを自分の下宿先から持ってきたり、学校の廃棄物置き場から使えそうなものをもらってきたりしながら、お手製の「文化の祭典実行委員会」の部屋をつくりました。高校生のときの塔建設よりもさらにスケールの大きな企画です。私はこの部屋でほぼ毎日寝泊まりしながら取り組むことになりました。

イベント成功のために掲げた目標は2つです。1つは「来場者数で大学祭を超えること」。来場者を集めるために、考えつくものは何でもやりました。ポスターはあえて取れかかっているように貼ったり、逆さまに貼ったりしました。人は〝ちゃんとしたもの〟には意識が向かないので、あえて違和感を演出したほうが注目を集められると考えたのです。また、通常の学生祭では、発表のステージは1つだと思いますが、私はステージを2つ用意しました。学生用と地域の方の発表用です。地域の子どもたちを招き、ステージで歌や踊りの発表をしてもらうことで、その保護者やおじいちゃんおばあちゃんたちが来ると見込んだからです。

また、「文化の祭典」のもう1つの目標は「協賛金を集めること」。予算が300万円しかなかったので、協賛金がないとどうしてもイベントが成り立ちません。大学祭よりも1口の単価を小さく設定し、できるだけたくさんの協賛を集めようと考えました。いきなり営業をかけても相手にしてもらえないため、自分たちにできるギブから始めました。実行委員会のメンバーや大学のサークル生たちに、大学の近隣で食事や買い物をした際に「千葉工大 文化の祭典実行委員会」という名前で領収書をきってもらうようにお願いしました。これは食事代を経費で落とすため、ではありません。近隣の飲食店の方々に、実行委員会の存在を印象づけるため、です。みんなから集めた領収書を仕分けし、領収書の数が多いお店から協賛を依頼するための連絡を入れました。「いつも使ってくれていますよね」と、協力してくださるお店がたくさんありました。先にギブをして、それからリターンを得ることで、イベントを運営できるだけの協賛金を集めることができました。

近藤家の家訓の一つに「人に迷惑をかけなければ何をしてもいい」というものがあります。私はこの「文化の祭典」を成功させるために、やれることはなんでもやりました。結果は大成功！　各サークルの勧誘もうまくいき、地域の方たちにも大学や学生のことを身近に知ってもらう機会をつくることができました。この「文化の祭典」によって、ほぼ無名だった大学の知名度アップに多少なりとも貢献できたのではないかとも思っています。このイベントは今も千葉工大で続いているそうです。自分がいなくなっても次世代が続けるだけの価値ある企画や組織をつくれたことも、今の私の自信につながっているように思います。

「文化の祭典」を皮切りに、私はますますイベントプロデュースに精を出すようになりました。地元の岡山で毎年開かれる「うらじゃ」という夏祭りのステージ企画を請け負ったり、活躍している社会人と学生との交流イベントを立ち上げたりと、さまざまなイベントのプロデュースに関わりました。そして、そんな日々の中で少しずつ「自分だけの価値創造」の輪郭が見え始めていました。

「僕にしかできないことって、こういうことなのかな?」——

証言集――見た、感じた「超超越」への途　①大学時代編

どんな講義よりも、大きな学び

森勇人さん　株式会社森環境技術研究所 専務取締役

初めて近藤さんに会ったのは2000年、僕が千葉工大1年生で近藤さんが3年生だった頃のことです。同じ工学部、学科も同じプロジェクトマネジメント学科という関係で、近藤さんが主宰していたサークル「書芸倶楽部」に誘われ、その後、ご本人が大学院に入るまでのほぼ2年間、学業以外のさまざまな場面でご一緒しました。

金髪のロン毛で作務衣を着て、下駄はいて……とにかく変わった人だなぁ、というのが第一印象です。ある時、「なんでそんなカッコしてるんですか?」と聞いたら、「わざとやってるんだ。こういう外見だと、社会的にどう見られるかが知りたくて」と思いもよらない答えが返ってきました。驚く間もなく、次に会ったときは一転して黒髪になっていたり、とにかく破天荒な人だと

見ていました。僕自身も影響されて髪を真っ赤にしたことがあります（笑）。

その頃の千葉工大は正門を入ってすぐ脇にサークルの部室棟があって、それこそ中国の古代都市〝不夜城〟みたいに夜中も明かりが消えないような場所でした。毎日そこに集まっては近藤さんを中心にほかの部員たちと時間のたつのも忘れて、あれこれやっていた記憶があります。書につ いては近藤さんから何かを教えられたというより、「好きなように書いて」と紙を渡されることが多かったですね。彼女と別れて悶々とした気分をチマチマっと書き連ねたときは、「これ、おもろい！」とすごく褒めてもらいました。僕は、近藤さんが書いているのを見るのが好きでした。一心不乱に筆を動かしている姿は、今で言う〝ゾーン〟に入っているようで、目には見えないオーラが出まくっていたように感じます。

特に思い出に残っているのは、しばらく沈滞ぎみだった大学祭を再び盛り上げよう、と近藤さんたちが先頭に立って運営していた時のことです。もちろん僕たちも駆り出されたんですが、部室に行くと近藤さんがどでかいホワイトボードを持ち込んで、そこにおびただしい数の付箋メモを貼り付けていました。何をやっているのかと思えば「学祭運営のためのタスク管理」だそうで、それも専門用語でいうWork Breakdown Strokeの流れにそって精密な樹形図のフローを描いていました。座学で得た知識を実地ですぐに応用・実践しているのを見て、この人は頭と手が当たり前のように連動してるんだ、と驚きました。

運営の相談をするときにも、リーダーとして単に指示・命令するのではなく、僕たち後輩とも常に議論をし、コミュニケーションをとりながら進めている姿が印象的でした。後から知ったのですが、チームの親密度がタスクの遂行にプラスの影響を与える、というマネジメント上の学説があり、もしかすると近藤さんはそれを試してたのかもしれません。

常に実験と検証を繰り返しているようでしたが、その瞬間は本当に楽しそうで、お酒をガンガン呑みながら毎晩酔いつぶれて部室の床で寝るまで続けていました。近藤さんはとにかく何でも全力勝負です。近藤さんと関わり、巻き込まれていく中で知らず知らずのうちに学んだプロジェクト管理や対人関係のスキルは、実は大学のどの講義よりも今の自分の仕事に役立っている気がします。

とにかく、良くも悪くも〝変人〟でしたから、8000人いたという学生の間で知らない人はなかったんじゃないかな。誰かとつるむというより、一匹狼なタイプのように見えましたが、近藤さんの周りには友人や僕たちのような後輩が自然とくっついていき、すでに小さな「組織」を率いているような感じもありました。勉強一途にはまったく見えませんでしたが、卒業時に首席だったというのを周囲から聞いて「近藤さんなら」と、思わず納得でした。

口ぐせは「新しい何かを生み出したい!」

伊藤勝幸さん
米国公認会計士(U.S.CPA)公認内部監査人(CIA)・
株式会社Legaseed 取締役 CFO

近藤とは大学の同級生で、研究室も一緒でした。最近になってレガシードの財務責任者も引き受けたり、なんやかや20年以上の付き合いになります。学部の3年の時点で「単位をほぼ取り終わってるのがいる」という話を聞いて、誰だと思ったらクラスで見かける金髪で赤いズボンはいた変なヤツ(笑)。面白そうなんで、「すごいじゃん」と話しかけてみたのですが、本人はブスッとしてるんです。「なんだ、こいつ?」というのが第一印象でした。

少しずつ話をするようになって、近藤の中には世の中に対する不満というか、かつての尾崎豊みたいなエネルギーがあるということに気づきました。書芸のほかに陶芸もやったり、学外のイベント、部活祭の企画や学園祭の運営など、さまざまなことにその有り余るエネルギーをぶつけている様子を見て、自分とはまったくタイプが違うと思いつつ、不思議と惹きつけられましたね。

当時から「新しい何かを生み出したい！」というのが口ぐせでしたし、コンサルタントの仕事には興味をもっていましたので、レガシードを立ち上げたことは、私から見て自然な成り行きです。彼には以前から、プロ野球選手のような自立した個々人が自分の価値を年俸で評価させるといった組織をつくろうという気持ちがあったようで、レガシードの社員にもそうした意識をもってもらいたいとの想いを強く感じますね。

CFOを引き受けたのも、ほかならぬ近藤悦康に誘われたからというのが唯一最大の理由です。私自身、公認会計士を目指す若い人向けの教育事業を自分でやっているため、ほかの人からの誘いであれば忙しさを理由に断っていたかもしれません。彼とともにIPOを目指すというのは何より面白そうだし、最近は経営に偏りしばらく遠ざかっていた会計の実務を実地で試せるというのがうれしくて、「近藤、誘ってくれてありがとう！」というのが、正直な気持ちです。

幸い、長い付き合いのなかで彼のことは多少とも理解しているつもりですし、私以外にそうそう彼に合わせられる人もいないんじゃないか、という思いもあります。また私にとっても、レガシードの仕事を通じて新たに吸収することがものすごく多く、濃密に学ぶ日々です。

ビジネスリーダーとしての近藤のユニークさは、やはりアイディアの素晴らしさでしょう。そもそも大学時代、eコマースなんて誰も言っていないときに「Kon Club」っていうサイトを立ち上げ、自分の書いた書芸作品を売っていました。黙っていてもお金が入ってくる仕組みがあり得るなんて、当時の私には想像もつかなかったことです。また、新卒で入社した会社でも、対面が当然の営業活動を「いちいち会いに行くより早い」とネット上で完結していましたし、イノベーティブというか、時代を先取りして収益化する力に異常なほど長けているんですよ。

その分当然、周囲に対しても収益という点で相当に厳しい要求をすることがありますが、企業としてしかるべき利益をあげていけなければ、どんなに価値あるものやサービスでも社会にアウトプットができなくなる。そうでなければNPOを設立すればいいと思いますし、経営者として当然の姿勢だと思いますね。

あとは逆境に対する強さにも舌を巻きます。どうしても起こってくる不測の事態にも、代替案までちゃんと用意しているのには驚かされます。私たちの学んだプロジェクトマネジメントという学問は、そうした点での強さ、というよりレジリエンスを常に念頭に置いているんですが、そのあたりのリスク処理、速やかな改良や修正の能力にも相当なものがあるでしょう。

もっとも、負けず嫌いの彼は相当に弱っても、それを顔に出しませんし、弱音を吐く姿はほとんど目にしたことがありません。近藤本人は周囲が驚くのを面白がっているようなところもあって、前の会社を辞めて、マンションを購入したと言うので遊びに行くとそこにもうパートナーの美帆さんがいたり、同期の友だちと「3人で呑まない?」と誘われた先がレガシードの忘年会で、その後、あれよという間にCFOの話を切り出されたり、目を白黒させられるのはいつもこちら側です(笑)。

これからIPOを目指していくうえで、彼のユニークなアイディアの源になっているアーティスティックな面をどのように取り扱っていくかは目下のテーマです。近藤一人が株を持っている会社であれば自由にやればいいですが、これから向かう先は会社を一定の標準化にあてはめることを、常に求められるフィールドです。パブリックカンパニーにおいて彼の〝持論〟を100パーセント通すのは難しいというなかで、彼自身はもちろん、CFOである私も試行錯誤しつつ、やりがいを感じているところです。自社の色をどこまで打ち出し、それを企業価値や株価に反映していけるのか? 近藤とレガシードの「超超越」をさらに大きなものにするためにも、互いの「超越」をいい意味でぶつけ合えれば、必ずいい結果が出ると信じています。

第2章

社会に出て、ようやくつかんだ「超超越」の輪郭

目の前に現れたチャンスは、とりあえずつかんでみる

イベントプロデュースに明け暮れ、「自分にしかできないこと」をなんとなくつかみかけていた私に、決定的な影響を与える機会が訪れます。私にとって最初の勤め先となるアチーブメント株式会社の創業者である青木仁志社長との出会いです。青木社長と出会い、前職で過ごした疾風怒濤の年月が私のなかの「超越」を「超超越」へと鍛え上げていくことになるのです。

青木社長との出会いは、私が協力していた少年院に入った子ども向けの野外教育プログラムの体験キャンプでのことでした。青木さんはご家族で参加されており、キャンプでの私の姿を見て、「面白いヤツがいる」と感じてくれたようです。食事に誘っていただくようになり、いろいろお話をするうちに「ウチで働いてみないか?」という流れになりました。

当時、同社は営業教育や能力開発の研修を中心に事業を展開していました。社名のア

チーブメント（achievement）には「目標達成」という意味があります。青木社長は、私が専攻していた「プロジェクトマネジメント」という耳新しい学問にとても興味を持たれていた様子でした。前章のおさらいになりますが、「プロジェクトマネジメント学科」では、ヒト・モノ・カネ・情報・時間をいかに効果的に使い目標を達成するか、当時の日本では先進的な分野を学んでいました。

それに対して私は、その時点で教育分野にも営業の仕事にも特に強く惹かれていたわけではなく、イベントプロデューサーになろうと思っていました。もしくは、大学院に進んで「イベント学」という学問を立ち上げようか、なんて考えていましたので、青木社長のお誘いはお断りするつもりでした。青木社長と三度目の食事に行った際、正直に自分の気持ちをお伝えすると、

「なら、大学院行って、イベントのプロデュースもやりながら、ウチで働けばいいんじゃない？」

と事もなげに仰るではありませんか。そんな選択肢ってありなの？　という一瞬の驚きの後、私は即答しました。

「じゃあ、入ります」

——それが、私にとっての運命の分かれ道になりました。

青木社長と出会ったのが大学4年の4月。そして5月の末には青木社長の下で働く決断をしていました。考えてみると、大学院に行きながら働けるのは自分にとっても大きなメリットです。将来の「イベント学」確立に向けて、単なる机上の理論だけでなく、実際のビジネスと連動した論文が書けるかもしれない。さらに、これはぐっと現実的な話ですが、高校、大学そして大学院のために受けていた合計600万円あまりの奨学金を働きながら返せるというのも、魅力的でした。ただ、その瞬間はそこまでいろいろと考えて返答したわけではありませんでした。青木社長の言葉に（それもそうだな……）と納得させられたと言っても過言ではないと思います。結局のところ、「ご縁」の一言に尽きると思います。

私はよほど自由人に見えるらしく、「近藤さんって、やりたいことをやって幸せですよね」と言われることが多々あります。しかし私としては「やる必要があることをやっていったら、いつの間にかやりたいことになっていた」という表現のほうがしっくりきます。

人との出会いや、環境の変化も、父親の死、書の世界や曽我先生との出会いも、千葉工業大学への進学も、すべて自分が生きていくなかで起こるべくして起こったことと捉えていますし、目の前に起こる出来事はすべて必然だと考えています。ですので、青木社長の誘いも、何かしら意味のある必然なのだろうと感じました。

当時のアチーブメントは創業14年目、売上3億円程度、社員数は20名前後と、俗にいう中小零細企業の一つでした。母親をはじめ周囲は就職に大反対していましたが、私は「決断には正解はない。自分が選んだ道をいかに正解に変えていくかだ」という考えでしたので、入社を決意したのです。

仕事がつまらなかったのは、とことんやっていなかったからだった

そうやって人生の大きな決断を下したのですが、青木社長にとっても私を採用するのは

大きなチャレンジでした。当時は中途採用しかしたことがなく、私が大卒の一期生。しかも働きながら大学院にも通うという思い切った採用です。そこで互いに慣らし運転をしたほうがいいと、大学4年生の7月から週3、4回でアルバイト、今で言うインターンシップのようなかたちで通うことになりました。学部での単位はすでにすべて取得していましたので、卒論に取り組みながら、相変わらず学内外のさまざまなイベントを手がけたりしながら、学生と社会人の二足の草鞋を履いていました。

あっという間に5カ月ほどが経ち、その年の年末には、母親と一緒に一泊の箱根旅行をしました。久々に家族水入らずでゆっくりと話すことができたのですが、ふと母親が「アルバイト、どうなの？」と尋ねてきました。今だから公に言える話ですが、実はこのとき、なんとも言えない物足りなさを感じていたのです。与えられた業務は研修テキストの発送業務やミスのチェックなど、いわば誰でもできることが中心で、なんで自分がこんなことをやらないといけないんだろう、と一丁前に不満を抱いていました。「うーん、自分のやりたいこととは違って、もやっとしてる」と正直に伝えたところ、母親からはぴしゃりと一言。

「とことんやってるの？」

バシンッと背中を叩かれたような衝撃がありました。もともと母は就職にも反対していました。「自分が決めたことなのに、まだ教えてもらいながら働いているようなタイミングで、何か合わなそうだからとか、面白くなさそうだからって辞めるなんて考えられない」と、ハッキリ言われました。そう言われて振り返ると「(高校時代に塔を建てたり、大学時代にイベントを立ち上げたときのようには) 全然やってないな」という手応えしかありません。ドキッとしましたし、中途半端な自分に対する嫌悪感と、そんな姿を母親に指摘される羞恥心に襲われました。「ここで仕事をしよう」と決めた以上は、とことん突き詰めてやるしかない！　その日を境にそう強く心に誓いました。「とことんやろう」というのは今の私の口癖でもあるのですが、これも母から受け継いだ近藤家の〝家訓〟の一つです。

「一度はとことんやって、嫌だったら二度とやらなくていい」

母とのこの会話をきっかけに、私は自分に喝を入れ直しました。まずは今の自分に何ができるかを冷静に見つめ直しました。大学で学んだプロジェクトマネジメントの知識は、残念ながら当時の会社（それも私の権限内の仕事）では、役立ちそうにもありませんでした。私にはセミナーの講師やコンサルティングなどの職能もまったくありませんでした。まず、自分には何もないことを自覚し、何もないなら「時間」で勝負をしようと決めました。とにかく朝は一番に出社し、夜は最後まで働くという、極めてシンプルな作戦です。正規の時間外もずっと会社にいて、「何かできることはないか?」と探しまわりました。そこでようやく次のステージへの2つのとっかかりを見つけました。

1つ目は会社のホームページの制作と運営です。当時は先進的な会社がインターネットの活用を始めていたくらいで、パソコンもまだあまり普及していませんでした。ホームページを作れる人などほとんどいない時代でしたが、私は自分で買ったノートパソコンを携帯して、すでに自分のホームページをつくって書芸作品などの販売もしていましたので、HTML言語も使えました。会社では月30万円でホームページの更新業務を外注委託していたのですが、その作業を自分にやらせてほしい、と申し出ました。「更新作業なら自分にやらせてほしい!」と自分を売り込み、まずは会社に対して毎月30万円分の価値を発揮できるようになりました。さらには、インターネット上で商品を販売し、収益化したいと申し出ました。

とっかかりの2つ目は、ホームページの更新をするなかで見つけました。次の年に15周年記念のお客様感謝祭をすることを知ったのです。イベントなら得意分野ですし、自分にプロジェクトリーダーを任せてほしいと手を挙げました。周年イベントですので、会社の歴史を知らなくては話になりません。倉庫にある過去の業務資料を探してみると、なんと段ボール10箱ちかくもありました。ここでも「とことんやるぞ」の精神で大量の書類をオフィスに運び込み、夜な夜な読み込みました。

15年の間に起こった出来事はもちろん、お世話になった取引先の方とのエピソードや、青木社長の一貫したメッセージに触れるうちに、これまでの軌跡をムービーにまとめようと思い立ちました。ムービーといっても今のようなハイテクな機材はありませんので、パワーポイントを駆使したスライドショーです。文字や写真が音楽に合わせて次々に出ては消えるという今から見ると素朴なスタイルですが、15年分のみんなの想いが詰まった最高のギフトになると思ったのです。社長をはじめ社内の人たちにはサプライズにしようとたくらんでいたのですが、作業に没頭しすぎて、そばを通りかかった社長に気づかずバレてしまいました。

「何つくってんの？」と聞かれてしまったので、正直に白状し、9割ほど出来上がっていた映像を見てもらいました。青木社長は「これ、すごいね！」と涙ぐんで喜んでくださ いました。サプライズというわけにはいきませんでしたが、感謝祭の当日に放映し、お客様や社員の皆さんにとても喜んでもらうことができました。皆が心から感動してくれていることが本当にうれしくて、すごく素晴らしい経験だったことを今でも鮮やかに覚えています。

母の言葉をきっかけに、会社に何かを与えられるのではなく、アルバイトとはいえ自分で価値を生み出そうと毎日もがき続けました。次第にできる仕事も増えていき、それとともに少しずつ認めてもらえるようになりましたが、まだ最大の関門を私はクリアしていなかったのです。それが、営業です。

新卒社員でも「できる」ことを証明する

私以外の社員は、皆フルコミッションの営業社員でした。当時の職場環境はとても厳しく、営業経験がある人でも、入社後の試用期間中の目標さえ達成できずに大半が去ってい

くという状況でした。そんな環境でしたので、

「新卒で本当にできるのか？」

と、訝しげに様子を伺われていました。一方で青木社長が「期待の新人が入る」と喧伝してくださっていたので、良い意味でも悪い意味でも注目を集めていました。

そんな環境ではそもそも営業ができないと一人前とは見なされません。売上を立てられていない私は、いくらホームページの更新やムービー制作で存在感を発揮できたといっても、それ以上でもそれ以下でもなかったのです。毎朝、ホワイトボードに個人別の成約実績が書き出されるのを見るうち、今度は「あれに名前を書かれるようになりたい！」とメラメラと燃えてきました。まず自分の身の回りの同級生や後輩に片っ端から声をかけ、アチーブメントの研修プログラム（3日で参加費は約18万円）の価値を伝えて回りました。トークスクリプトも見込み客のリストも持っていなかった私は、とにかく行動するしかありませんでした。しかし、行動すれば必ず結果が生まれます。次第に、私の名前もホワイトボードに書かれるようになりました。

とにかく当時の私にできるのは、結果を出すことだけ。ホームページや感謝祭のイベント、ムービー制作など他の社員にできない仕事を積極的にやり、同時にその人たちがコアにしている営業でも数字を出し両方の面で実績を残せるよう躍起になっていました。

「どうすれば、自分はこの会社で価値を生み出せるだろう？どうすれば、なくてはならない存在になれるだろう？」

そのことだけを考えていました。営業で結果を出せば認められる職場だったからこそ、私は営業もできるし、ほかのこともできる、それでいてすべてをとことんやり切るオールマイティな人材になろうと考えました。今でいう、二刀流の大谷翔平選手のような存在を目指したのです。

そうこうするうちに正式に正社員として入社する4月1日を迎えました。初めは教育に対しては少しも興味がなかった私でしたが、この頃には意識も変わってきていました。あるとき自分が企画する勉強会の中でビジョンマップを描く機会がありました。45歳の自分はどんな人生を送っているかをイメージしたときに思いついたのが「教育のテーマパーク」という構想でした。大学生時代はイベントプロデュースの仕事がしたいと考えてきたのですが、教育という仕事に携わることで「教育という事業も一つのイベントだな」と気づいたのです。しかもライブやテーマパーク体験と違い、そのとき一瞬の気持ちの高揚で終わるのではなく、教育には終わりがありません。研修やセミナーといったエデュケーションイベントは決して華やかではないけれど、人生にずっと影響をもたらし続けるのだと気づき、「いつかは皆が自分の夢や志をかなえられるような教育のテーマパークをつくりたい」という未来を描いたのです。

モヤモヤと悩んでいた頃が嘘のように、パワーが湧いてくるのを感じたものです。初任給は、アルバイト時代の実績を評価してもらい、月に30万円という金額を提示していただきました。当時の新卒の平均月収が約18万5千円でしたので、これは、破格と言えます。それだけ期待をしていただけているということを実感すると同時に、「この会社は『普通は初任給だったらこれくらい』という常識的な発想をしない会社なんだ」とわかり、うれしくなりました。給料というのは会社から一方的に提示されるものではなく、自分の頑張り次第で上げることができるということを、入社早々に知れたことは、その後の私の人生に大きな意味がありました。

ただ、時給に換算するととんでもなく薄給だったと思います。朝は6時には出社して仕事を始め、そのまま夜は9時くらいまでぶっ通しで働きました。一度、食事に行ったり、呑みに行ったりして、また戻って11時、12時、時には2時頃まで作業をしていました。さらに週に何度かは大学の研究室にも顔を出し、「ちっとも研究が進まない」と憤慨しているパートナーをなだめながら、打ち合わせもしないといけませんでした。

そんな生活を苦しいとか、つらいとか思う気持ちはまったくありませんでした。むしろ、

「寝たくない！　一分一秒でも長く仕事をしていたい！」

というのが本音で、寝る時間があるんだったら、もっと価値を生み出したいと考えていました。やりたいことや創り出したい価値が無限にあふれてきて、終わりのない旅を楽しんでいるような気分でした。自宅に戻る時間ももったいなく、オフィスの机を並べてベッド代わりにして最低限の睡眠だけをとる日々を過ごしました（じきに「さすがにかわいそう」だとオフィスにソファを置いてもらいました）。

そんな調子ですから「もっと仕事しろ」と怒られたことは一度もありません。むしろ社長や専務から体調を心配され、オフィスに泊まるのはやめるよう説得されました。やむな

く会社から徒歩2分、家賃5万円の四畳半一間のアパートに引っ越すと、毎日、ただシャワーを浴びて仮眠を取り、着替えるためだけに帰っていました。

日本一の人材教育企業を目指すには、日本一の人材が必要だった

せっかく入社したのだから、社長が考える志を実現したいと、私は「どうすれば、この会社が日本一の人材教育会社になれるか」を日夜考えるようになりました。当時は、営業職の方向けの営業教育が事業の主となっていましたが、日本一を目指すのであればもっと幅広い層に教育が提供できたほうがいいだろうと考えました。「日本一の人材教育会社」という目的から逆算し、企業向けのプログラムや子どもたち、若者、さらにはお年寄りのための教育などさまざまなプランを練り、それを一つずつ新規事業として立ち上げていこうと動き出しました。そのためには、これまでのこの会社にはいないような、若くて優秀な人材を採用し、彼らと一緒に新しいことに挑戦していきたいと考えるようになりました。

「新卒採用がいいんじゃないか？」

私の頭の中には、そんな考えがちらつくようになりました。自分で言うのもなんですが、これまで中途採用しかやってこなかったこの会社でも、私が入ったことで「新卒でも結構使えるじゃないか」という空気が生まれていたように思います。そうした折、専務から「近ちゃん、自分も学生なんだし、学生向けに何か考えられない？」と相談を受けたのをチャンスに、いよいよ新卒採用の世界に本格的に足を踏み入れるようになりました。

すでに私のことを知ってくださっている方には近藤＝新卒採用というイメージを持っていらっしゃる方が多いと思いますが、私にとって「新卒採用」を真剣に考える契機はここにありました。

「新卒採用」の中に見出した可能性

まずは、学生向けの企画を考えました。学生相手となると高額のコンサル料金をとるようなビジネスはできません。そこでまずは私自身が講師になり、キャリアや就活への取り組み、人生の切り拓き方などについて、現役生向けのセミナーを開催することにしました。現役の学生とビジネス人の二足の草鞋を履いている珍しい境遇だったので、コンサルの経験がない自分でも、一般的な就職活動をしなくても、社会でイキイキと活躍できる話ができると思えたのです。自分よりも年下の学生に対して講師役を務めることでプレゼンテーション力を磨き、将来的に年上の人や経営者を相手にできるようなスキルを身につけられる好機だとも思いました。

また、仕事とは別に「モーニングスター」というイベントを友人と始めました。毎週日曜朝8時から2時間の企画です。会場はホテルの素敵なラウンジで、朝食のビュッフェ付きと、学生にとって非日常な空間を演出しました。

・講師による講義　30分
・質疑応答　30分
・1週間の振り返りと、次の1週間の目標・計画の発表　1時間お招きする講師の方は、私や先輩・友人知人の人脈をフル活用して厳選しました。若者向けの企画でしたが、現役のビジネスパーソンも来るほど充実した内容で人気の企画でした。

この「モーニングスター」は私にとっても良いこと尽くしでした。ファシリテーターとして話術を磨き、人脈を育て、自分の人生のプランニングもでき、さらに美味しいご飯も食べられます。ウィークデイの疲れから無為に過ごしかねない日曜日を朝から充実させられるという、まさに〝一石五鳥〟の試みで新卒人材の可能性を測る時期がしばらく続きました。

こうした取り組みを続け自分なりに「イケる」という確信を得たタイミングで、青木社長のところに新卒採用を提案しに行きました。

「社長、うちも毎年の新卒採用をやりましょう」

満を持しての提案でしたが、社長の反応は冷ややかでした。社長からは「うちみたいに、名前も知られていない上に中身も整っていない会社じゃ、大手をしのぐようないい人材が採れないのではないか」と、疑問を投げかけられました。私は売り言葉に買い言葉で、すかさず反論しました。

「じゃあ、会社が有名になって中身が整って、大きくなるには何十年待てばいいんですか？」

相手は社長で、こちらは新入社員。若気の至りもあったと思います。私の率直過ぎた言葉に、その場は少し険悪な雰囲気になりました。その後、対話を重ねる中で、いい人材、デキる人材が入るからこそ、いい会社、影響力のある会社になっていけるという理想の姿が互いに一致していきました。

この日、青木社長に伝えた内容は、今でもクライアント企業の社長たちに強くお話するテーマでもあります。多くの人は、有名な会社や大企業だからデキる人材が入るという考え方をもっています。しかしニワトリが先かタマゴが先か――。私は、実際は逆だと確信しています。いい会社、デキる人材が入るからこそ、いい会社、社会に影響をもたらす会社になるのです。そうでなければ、小さな会社はいつまでたっても小さな会社のままです。どんな大企業や有名企業も、最初は小さな町工場や、掘っ立て小屋のような小さな会社からはじまりました。創業した瞬間から大企業なんてものはあり得ません。そのように考えると、私が言う、素晴らしい人材が入る→社会に必要とされる良い会社になるという矢印のほうが正しいと考えられるのではないでしょうか。社長たちは精度の高い採用をすることで会社を成長させていく、という発想をもつべきなのです。

当時はそこまで明確には言えなかったものの、この会社が日本一になるためには新卒採用しかない！　という確信を持っていましたので、とにかく必死に伝えました。

そして青木社長は、新入社員の私の話を最後まで聞き、提案を受け入れ、挑戦させてくれる度量を持つ経営者でした。

「そこまで言うならやってみろ」と300万円の予算をつけてくださいました。これは当時の同社の中途採用における年間予算と同額です。とにかくこの範囲で、新卒でも中途でも優秀な人材を採用する仕組みをつくってみろ、と一任してくださいました。

お金がないなら、アイデアで勝負

「300万も予算があるなら、何でもできる！」――世間知らずだった私は初めそ「こんなに予算がついた！」と浮かれたものですが、実際には求人メディアへの年間広告料だけで消えてしまう金額だとすぐにわかりました。採用向けの会社案内などのパンフレットを作るのにまた300万円。ムービーを作るならさらに300万円。

「全然、お金が足りない……」

これはお金を使っている場合じゃないと悟り、すぐに頭を使う方向に切り替えました。そこでふと気づいたのですが、社長に啖呵を切ってまで新卒採用の許可を取ったというのに、そもそも私自身が新卒採用や就活の実態について、何も知らなかったのです。私自身は社長からの個人的な誘いで入社していますので、就活経験もありません。ならばさっそく、市場調査です。現役大学院生の強みをフル活用して、就活中、あるいはすでに内定をもらったという友人や後輩にインタビューをして回りました。

話によると、就活生は誰もが最初にウェブ上の就活ナビサイトへ登録するそうです。サイトの中で自分の興味のあるカテゴリーで検索をかけると、関連する求人情報が表示されるので、その中からめぼしい会社を探し、エントリーするとのことでした。そこで私も検索窓に試しに「教育」「人材」と打ち込んで検索してみたところ、軽く1万件以上がヒットしてギョッとしました。これでは仮にここに掲載していても、来てほしい優れた人材とめぐり会えるかどうかは運任せになってしまいます。

「これは、他社と同じことやっていてもダメだな」

さて、興味のある会社を見つけた学生は、次にその会社の説明会に参加するそうです。「それって面白いの？」と聞いてみると、皆は口をそろえて「面白いわけない」と苦笑していました。どこの会社でも人事担当者がスクリーンに映し出したパワーポイントの資料をもとに、淡々と事業説明を行うだけ。その後には社員が参加しての座談会や質疑応答があり、最後に適性テストというお決まりの流れで90分から2時間です。その間学生たちは、並べられた椅子に腰をかけ、眠気に襲われていることをバレないように何とか背筋を伸ばして前を向いて座っているだけだといいます。話を聞いているだけでも耐えがたい時間だなと寒気がしました。

「そんなにつまらない会なら、なんで行くの?」と聞くと、こいつ何にもわかっていないなというような顔で笑われました。「いや、行かないと選考が受けられないんだよ」——

「なんだ? その会社説明会とやらは? まったく意味がわからない……」

私にとって未知で理解不能な情報がたくさん出てくるので、インタビューをやっておいて良かったと胸をなでおろしました。さて、説明会を終えたら、次は選考です。適性テストをクリアすると、だいたい30分から1時間くらいの面接が(会社によっても違うが)3回くらいあるとのこと。1回目の面接で不合格となると次には進めないが、合否判定は完全に企業任せ。仮に不採用の場合はその理由すら教えてもらえず、採用の場合も何が決め手だったかを教えてもらえることはまずないといいます。

「それじゃあ、どこが良くて/悪くて、何を改善すべきかもずっとわからないよね」

さらに入社が決定した人も、具体的な仕事の内容や厳しさ、そして楽しさについての情報開示はほとんどなく、４月になり業務がスタートして初めて自分で感じるしかないそうです。

私は、あまりに企業ファーストで一方的な実態に唖然とする一方、これはチャンスだと直感しました。世の中の多くの会社が毎年、とんでもない時間とお金をかけて行っている新卒の採用活動が、当の学生にとって「来てよかった」と思えるものにまったくなっていないからです。それは逆に考えれば、学生たちにとって楽しかったり、感動したりできるような何かを提供し、価値を実感して帰ってもらうようなものができれば、無名の会社にも学生が集まる可能性があると気づいたのです。

企業目線ではなく、学生目線で採用を考える――。この発想の転換が、自分の中の「超越」を目覚めさせ、今の私へとつながっていく大きな転機となるのでした。

〝逆張り〟で学生たちの心をつかむ

学生たちにインタビューをしながら私はずっと疑問でした。そもそも、これから自分が一生を捧げるかもしれない場所を選ぶにしては、企業と学生の接触時間が短すぎるように感じたのです。説明会と適性テストで1時間30分から2時間。面接がその後に30分から1時間で3回。合計すると最大でも5〜6時間です。人生を左右するという意味では、就職先を選ぶことは結婚と同じくらい重要な決断です。そんな大事な相手をたった数時間で決めてしまっていいのでしょうか？

インタビューを経て私が抱いた数々の違和感。私はその自分の違和感に素直に従うことにしました。まず、学生たちには、本当にこの会社が自分とマッチしているのかをじっくり検討するために、チャンスや手がかりをたくさん用意しました。また、自分が学生だとしたらつまらない選考を受けるのは絶対に嫌ですので、選考が進んでいくにつれて「次はどんなことが起こるんだろう？」とワクワクできるような仕掛けを考えました。就活中の学生たちはよく、「早く内定出て、終わらないかな」と愚痴をこぼしていましたが、世の中の逆を行くことで「え〜、もう終わっちゃうの？」という就活を演出しようと考えたのです。

徹底的に学生目線でいくため、企業側の狙いは欲張らず2つに絞りました。1つは母集団をできるだけ多く集めること。これは確率論です。私たちはとびきり優秀な上位5％の人材を獲得することを目指していましたので、たくさんの人数のなかから厳選しようと考えました。毎年の新卒就活生はおよそ40万人。そのうちの5％にあたる2万人を集めることで、優秀な人材が採用できる確率が高くなると考えたのです。

そして、2つ目は、自社が欲しい人材を獲得することです。そんなの当たり前だと思われるかもしれませんが、採用現場を見ていると、この視点がすっぽり抜けている会社がとても多いのです。例えば、「ウチの会社は休日が多く、残業は少なくて、経営的にも安定している」と訴求して採用を行うと、集まる学生は「できるだけ休んで、毎日それなりに働いて、会社に頼ってのほほんと生きていきたい」というタイプです。そういう人を求めているのであればそれでいいですが、優秀な人材やがむしゃらに取り組む人材が欲しいと思っているのであれば、ポイントがずれています。万人受けを狙って、数だけの質の低い集客にならないように、「どんな人材が欲しいか」を明確にして、その人材像にふさわしいアピールポイントを探しました。

この2点は、今も最重要視している観点です。

次はいよいよ、具体的な選考フローを練りました。社長からは「任せる」の一言のみ。テーマはまさに〝逆張り〟。世の中の会社が、どこもやっていないことをやろうと決めました。

まず注目したのが、「体験価値」です。専門的な用語を使うのであれば、EX（emploee experience）、さらにはCX（customer experience）という視点です。当時はこうした専門用語があったわけではありませんが、選考プロセスを通じて、学生が楽しめたり、魅力を感じたりする体験をつくることを強く意識しました。私も、入社前にアルバイト期間があったことで、仕事に慣れるのはもちろん、この会社で働く意味を深く考えることができました。そこで選考プロセスでは、とにかく実際の仕事を体験する喜びや、この会社で働くとはどういうことなのかを実感してもらおうと考えたのです。

まず、「会社説明会」の型を壊してみました。一般的には企業の担当者が会社のことを説明する場だとされていましたが、人間の頭というのは頼りないもので、30分とか1時間とか、熱心に話を聞いていても、それが一方的な受け身では殆ど記憶に残りません。従来型の会社説明会をやっている会社の出口で学生に「今の説明会について自分の言葉で話してみて」とインタビューしたら、きっと上手く話せないでしょう。しかし実際に自分で手を動かしたり、発言したりすることで、理解が深まるだけでなく、参加したという実感も醸成することができます。そこで私は、会社説明会を受動的な受け身の場ではなく、能動的な体験の場に変えたのです。

・お題に即した資料を調べる
・スタッフに質問する
・グループに分かれ、模造紙にまとめる
・短いプレゼンテーションをする

など、ワークを中心としたプログラムで構成しました。当時こんなスタイルで会社説明会をしているところは一つもありませんでしたので、集まった学生たちは目を丸くしていました。

次にやったのは、選考段階での筆記と面接の廃止です。

「履歴書の内容なんてあてにならない」

履歴書やエントリーシートを見ると、自己ＰＲ欄に「私はねばり強い人間です」とか「スポンジのように吸収できる人間です」なんてあの手この手で自分をアピールしようと言葉が並べられています。どんなに立派なことが書いてあっても、結局は主観による自己評価に過ぎません。ハッキリいって作文レベルですし、書く側にとっても、読む側にとっても時間の無駄です。また面接にしても、ただ質問して、それに答えるだけでは、表面的なことしか見えてきません。就活生たちはマニュアルを読み込んで〝武装〟していますので、そこで発される言葉にその人の本質はない、と言えるでしょう。また、今どきは、ｃｈａｔＧＰＴが伝わりやすい自己ＰＲを書いてくれる時代になりました。

私は、その人の実態を見るあり方に選考をガラリと変えました。例えば野球選手の入団テストの場合、どんな球団であっても必ず投げさせたり、打たせたり、走らせたり、守らせたり、実際に野球をしているところを見ます。プロフィールに書かれている内容だけで判断することはあり得ないでしょう。本来、企業の採用でも同様ではないでしょうか。営業職の人材を採用するのであれば、実際に営業をしている姿を見ることが、適性を判断するのに最も有効なはずですが、そのような取り組みをしている企業はまずありません。

この考え方を、選考フローの随所に盛り込みました。段階ごとに課題やグループワーク、さらにインターンシップを取り入れての体験と実践を繰り返し候補者の能力やポテンシャルを見たのです。課題の解決を通してどれくらいのパフォーマンスが出せるのか、グループワークでどのような役割を果たすのか、など取り繕いようのない情報はとても参考になりました。またこうした選考プロセスは学生自身にとっても学びになっていたと思います。課題に取り組むたびに自分の強みや弱みを見つけることになり、最終的に入社しなかった学生であっても、そこで得たものがその後の人生に役立っていることでしょう。

急成長の壁もアイデアで乗り越える

逆張り作戦は功を奏し、私が企画した新卒採用は学生たちの中で大いに話題になりました。年々口コミが広がってくれたおかげで、1年目は1000人、2年目は1万人、そして4年目には目標としていた2万人の応募がありました。就活生は毎年40万人程いましたので、2万人ということは、就活生の20人に1人を集めることができた計算です。

「あの会社の選考、めっちゃ面白いらしいよ」

学生たちのそんなウワサのおかげで、多額のお金をかける必要もなく、口コミで多くの人数を集めることができるようになっていきました。ただ、人気を博した弊害とでも言いますか、応募者数の増加があまりに急激だったことで、運営の手が回らなくなってしまいました。説明会の度に参加者は100名を超え、課題やグループワークをやるにも、隅々にまで目が届きません。せっかく応募者が増えてくれたものの、選考の質が落ちてしまいかねない状態でした。どうしようかと悩んでいた矢先、一つのひらめきが下りてきました。

「いっそのこと、学生たちに誰が合格か決めてもらおう」

このアイデアの発端は、ささいなことでした。深夜にラーメン屋さんに行ったときのことです。自分のラーメンが出てくるのを待つ間何気なく店内を見渡していると、二人いたスタッフの働きぶりの違いに気づきました。一人は混んでいる店のなかで急ぐ様子もなく、やる気なさげにラーメンをつくっているのに対し、もう一人はテキパキと手を動かし、入ってくるお客、出ていくお客に丁寧に声をかけ、店全体に目配りをしています。私がラーメン店の店主なら、間違いなく後者のテキパキしたスタッフを採用したいです。そしてその時、「これって、誰が見てもはっきりしているんじゃないか」と直感したのです。

採用面接は雇用する企業の人間でなければ選べないと無意識のうちに思い込んでいましたが、仕事ができる人は、誰が見てもできる人である可能性のほうが高いのです。そして学生たち自身に選考判定を委ねる方法を考えついたのです。会社として採りたい人材の基準を明確にしたうえで、一緒にワークを進めていけば、誰が最もふさわしい働き方をしたのかは、外から覗いている私たちよりも当事者である学生たちのほうがよくわかっているとも思いました。このアイディアには当然ながら「そんなことをして、うまくいくはずがない」と反対意見も出ましたが、私は学生たちの公正さを信頼しました。実験してみたところ、案の定、投票の結果はほとんどすべてのグループで、私たちがワークを見て評価した人と合致しました。学生たち自身の評価がふさわしい人材を指名するという、前代未聞の選考方法が確立されたのです。

このやり方のいいところは、運営の手間が省けること以上に、誰よりも就活生が客観的に自分たちに求められているものが見えて、自身のパフォーマンスを自己評価することができることです。おかげで会社にとっても学生にとっても、マッチングのブレがなくなりました。またこのやり方なら選ばれなかった人にも、「あの人に比べて自分は力を発揮できていなかったし、この結果は当然」という納得感があるため、その経験を次のチャンスに前向きに活かすことができます。

さらに、学生の改善を踏まえて「再チャレンジ」という新たなルールも導入しました。学生たちにとって就職活動は初めての経験です。1回目で本来の自分の実力を発揮できなくても、2回目、3回目と数を重ねていくうちに前回不足していた部分を改善し、より自分らしさを表現できるはずだと考えたのです。プロなのだから1回で結果を出せという意見ももっともだと思いますが、私は、反省と向上ができる人材を評価したいと考えます。そこで就活期間中は機会がある限り、同じ人が再度参加してもいいということにしたのです。

こうして練り上げていった新卒採用の選考プロセスは学生たちにとって〝武者修行〟の場にもなっていたようで、残念ながらご縁のなかった学生さんからも「おかげさまで、○○社の内定が取れました」と感謝の言葉をいただくことも少なくありませんでした。

こうした経験を経て、私は新卒採用のコンサルティングに足を踏み入れていくことになるわけですが、多くの中小企業の社長は「うちみたいな会社では新卒採用は難しい」と言います。しかし、私はそういう会社を見ても、どこも以前に私が勤めていた職場よりは諸々の条件が整っているように見えました。当時は、自分以外は全員中途採用のフルコミッションセールス。リクルーターは自分だけで、予算も少ない。会社の規模も知名度も、今よりずいぶん低かったです。そんな会社でも、人を集めることができました。不完全な会社だという前提で、成し得たい未来を示したことで、「一緒に世界を変えていきたい」という本気さに共感したメンバーが集まってくれました。

「どんな無名の会社でも新卒採用で優秀な人材を採ることができる」

大企業がやっているような一般的な採用活動ではなく、本質的な採用にこだわり、説明会から内定までの一連のプロセスを学生にとって価値のある体験としてつくり上げることで、口コミを生み、優秀な人材の獲得に寄与することができました。また、素晴らしい人材が入ってくれたことにより、「この人と一緒に働きたい」と、新たな求心力が働いたことにも大きな意味がありました。

ようやくつかんだ「自分にしかできない価値創造」

ここで紹介してきた手法は、これまでずっと続けてきたものばかりではありませんが、説明会から内定が出るまでの時間をできるだけかけるという姿勢だけは、終始一貫していました。現在でも、新卒採用のプログラムをご提案する際には、およそ2~3カ月、長い場合は半年というスパンでのフローを検討いただいています。新卒採用の当たり前だったわずか6時間程度の選考と比べると、密度も濃度も雲泥の差です。入ろうとする会社について、ここまで理解できる選考はほかにありませんので、学生が他社とどちらに入社するか迷ったときにも、有利に働く結果となりました。

ここまで気合を入れて新卒採用に取り組むためには、それ相応の予算と時間、そしてマンパワーもかけなければなりません。本当に優秀な人材を計画的に採用することは、会社にとって10年後の未来を描くうえで最重要のプロジェクトであるという認識は不可欠です。アチーブメントでも社内にそうした認識が広がるにつれて、当初300万円しかなかった年間予算も増やしてもらい、同時に自社の採用ノウハウをベースにした企業向けの新卒採用コンサルティングが事業の柱の一つとなりました。

私はこの新卒採用コンサルティングの部門リーダーを任されることになりました。自分が採用に関わり入社した新卒の人材と共に新規事業を推進していきました。その中で強く感じたのが、新卒人材のもつポテンシャルとスキルの圧倒的な高さです。中途採用でこれだけの優秀な人材を獲得しようと思ったら、破格の条件を出さなければまず採れません。そんな金の卵が新卒市場にはゴロゴロいます。例えばメジャーリーグで大活躍している大谷翔平選手を中途で採用するのは難しいですが、新卒であればチャンスがあるのです。まだ他社が気づいていない新卒のタイミングで採らなければ、残念ながら無名の中小企業にはその次のチャンスはもうありません。とびぬけて優秀な人材を獲得できるのが新卒採用の強みだと私は改めて実感することになりました。

また、新卒社員が増えたことで社内の雰囲気もガラリと変わりました。「会社を成長させるため、新卒採用をするべきだ！」という主張を通した私ですが、そんな私が誰よりも新卒採用をきっかけに企業そのものが成長・進化することを実感し、「こんなに変わるのか」と驚いていたかもしれません。

「超越」の次のステージへ

この当時から私は、クライアントの採用が失敗したらこの仕事を辞めようと思いながら仕事をしていました。それどころか「この仕事に失敗したら会社がつぶれる、自分の大切な人がみんな殺されてしまう」、それくらいの覚悟をもって取り組みました。絶対に成功させると決めていたので、成功させるまでやりました。もちろん計画通りにいかないこともあります。それでも成功させると決めているので、休みを返上してでも、自分でお金を出してでも、なんとしてでもやりきりました。「コンサルタントってアドバイス業ですよね？　そこまでしてやる必要あるんですか？」と言われたこともありますが、これはプライドの問題です。どういう自分で地球上に存在したいかを考えたとき、私は絶対に約束を守る自分でいたかったのです。プロとして求められる価値を提供するのは当たり前。私が目指していた超越はもっとずっと先にありました。

超越を目指すというのは、まだ誰もやっていない目新しいことを生み出したり、ほかの誰にもできないような技術的に難しいことをやったりするというよりも、お客様以上にお客様のことを考え、既存の枠組みにとらわれることなく、言い訳をする余地すらないほどに本気で取り組み続けることだと私は考えています。そうやって仕事と、お客様と向き合い続けていると、いつしか「誰もそんなところまでやらない」というレベルに到達します。それこそが超越です。私がやってきたことも、やろうと思えば誰にでもできたことかもしれません。しかし、誰もそこまでやらない。できないのではなく、やらないのです。

27歳の頃、私は一つの「超越」を手に入れた実感がありました。新卒採用を軸にした組織変革という、今の近藤悦康の土台となる発想と手法が確立しつつあると同時に、こと新卒採用に関して、ここまでやる人は自分しかいない、この分野において、自分を超えるようなアウトプットを出せるコンサルタントはいないということに気づいたのです。自社での成功体験はもちろん、ご相談を受けたあらゆる規模や業種の企業様でも再現性高く採用が成功している現実を冷静に見つめ、このコンサルティング技術は自分にしかできないという、ゆるぎない自信が生まれていました。お客様以上にお客様のことを考え、すべてやりきってきたからこそ、お客様との強固な信頼関係を築くこともできていました。

このとき私は、自分が創り出してきた価値、この価値を創ることができるのは、地球上に「近藤悦康」という一人しかいないのだと確信したのです。高校時代、父親の臨終の病室で突きつけられた「なんで自分はこの地球上に存在しているんだ?」という疑問に対する答えが、思想的な解ではなく、現実的な解として目で見ることができているような手ごたえを感じていました。ようやく、自分の人生の意味を創れたような気持ちでした。

しかし自らの超越を自覚した途端、また新たな疑問が湧いてきました。自分にしかできない価値を手に入れたのだとしたら、自分が死んだらどうなるのだろうと考えたのです。

「もし今自分が死んだら、地球が困るんじゃないか?」

人には必ず「死」があります。その当たり前の視点に立ち直したとき、「自分だけの」という超越の考え方は、永続性の視点が欠けており、そもそも今自分がここにいられることへの感謝が足りないのではないかと思えてきました。

親、先祖などからずっと続いてきたバトンを受け継いで、今私はここにいます。そして私自身も、そのバトンをつないでいく一人です。仮に自分が死んだとしても、これまで積み上げてきたもの、追いかけてきた夢の続きを次の世代に託すことで、自分一人だけの狭い範囲ではなく、今この時代という短い時間だけでもなく、地球規模で、数百年、数千年先の未来にまで価値をつくり紡いでいくことができるのではないか。

自分、ではなく、自分たち——。単数形ではなく、複数形。これまで追い求めてきた「超越」という概念が進化し、「超超越」に気づいたタイミングでした。

それからは自分の思考や技術を、自分が採用したメンバーたちにできる限り伝えていくことにしたのです。十代の頃から追い求めてきた、自分にだけ生み出せる価値「超越」。その輪郭がつかめたからこそ、それが何倍にもなって影響の輪が広がっていくとどんなにすごいことになるだろうとワクワクしました。私が採用に携わったメンバーは皆例外なく優秀な人材ばかりでしたので、ものすごい勢いで新たな未来が創造されていく実感がありました。自分にしかできない価値を確立し、それを素晴らしい仲間と共に磨いていくことで、超越のさらに次のステージ、「超超越」へと進んでいくのだと、身をもって感じていた頃です。

とはいえ、当時の私は一サラリーマン。「この会社を日本一の人材教育会社にしたい」という気持ちは嘘偽りなく強く抱いていましたし、「ゆくゆくは青木社長の意思を継いで、この会社を背負っていこう」という覚悟ももっていました。しかし、超超越を目指そうとしたときに、その会社の中で、思い通りに進めるには立場的に難しさがありました。

私自身の考えと、当時の経営陣が目指す方向性やスピード感には違いがありました。経営陣は、主事業にリソースを集中したほうがいいという考えでしたが、私は新規事業や新サービスをつくって、事業の幅を広げていきたいと考え、積極的にその役割を担っていました。採用のなかでも、入社した新卒人材がゆくゆくは自分の強みを活かして事業を立ち上げ、子会社化するという構想も持っていましたし、それができるメンバーを採用していました。初めは、空想や絵空事であったことが少しずつ形になっていく中で、スピード感に違和感を抱いたり、思い描いていたイメージとのギャップが如実に表れるようになってきました。結局、私が採用したメンバーが次々と会社を去っていくことになりました。彼らは、会社を悪く言うことも、社長を悪く言うこともありませんでしたが、経営陣が考えている会社のありたい姿と、私たちが創り上げたいと思い描いていた未来像に少しずつ齟齬が生まれてしまっていたのは明らかでした。

私には新卒人材を採用した責任があると考えていましたので、辞めようとするメンバーは一生懸命引き留めました。しかし、離職を食い止めることはできず、最終的に私が採用に関わった8割近い人材が退職しました。残ったメンバーと、今の経営陣で、本当に自分たちが創ろうとしていた未来の会社が創れるのだろうかと考えてみたときに、私にはそのイメージが描けませんでした。

「自分で、自分の船をつくったほうがいいんじゃないか……」

その想いは、日に日にふくらんでいきました。「超越」を手に入れるチャンスをいただき、たくさんの経験をさせていただいた感謝の気持ちは確かにありつつも、これから先に自分が目指していきたいことがこの会社では実現できないのではないかという、大きなジレンマも抱えていました。

結局、入社から10年の節目に、私はお世話になったアチーブメントを卒業し、独立の道を選びました。本当に10年間、青木社長、専務をはじめ、諸先輩方に数々の挑戦をさせてもらったことに感謝でいっぱいです。間違いなく私のその後の仕事のスタイルのベースはアチーブメント時代に培われたものです。そして、採用した後輩の同志たちにも多くの刺激をもらい、共に泣き笑い、最高のサラリーマン時代を駆け抜けることができました。私が入社したときに年商3億円規模だった同社は、10年後には15億円、今では50億円を超える企業にまで成長しました。その裏には、毎年優秀な新卒人材が獲得できる仕組みができたこと、また青木社長の求心力をもとに、社員が力を合わせ事業を継承し、時代に合わせて新サービスをリリースしてきたことがあると思います。当時、後ろ髪を引かれる想いはありましたが、

「これからは、自分にしかできない価値で終わらず、自分たちにしかできない自分たちだけの価値を追求していこう」

自分ひとりが卓越した存在になって満足するのではなく、組織としてかけがえのない集合体を目指していくことにしたのです。「超越」を手に入れた私は、その先で足を踏み入れた「超超越」を次のステージで完成させることを決意しました。

〝近藤論法〟なら、きっと空も飛べる

成瀬拓也さん　株式会社ウィルフォワード代表取締役プロデューサー

僕は2005年、近藤さんが本格的に始めたアチーブメント社の新卒採用第1期で入社しました。就活でアチーブメントのセミナーに参加したときは、今までに見たことのないスタイルに驚きました。ほかの会社だと社長の話なんかを長々と聞かされるところを、青木社長のさっぱりとしたあいさつの後は、すぐにグループでの課題が始まり、とても斬新で興味を惹かれたんですね。

その後、近藤さんが個人で企画したキャンプに呼ばれたりしてお話を伺う中で、研修やセミナーというアチーブメントの仕事そのものに面白さを感じましたし、一緒に参加した就活生がみんなエッジの立った連中ばかりで、「こういう仕事を、こういう仲間とやってみたい」と強く思うようになっていました。内定をいただいたときは、即入社を決めました。

内定の段階から近藤さんの下に配属され、すぐにクライアントをもたせてもらいました。確か、住宅会社の新規事業に関連する提案の仕事だったと思います。こっちは右も左もわからないのに、当の近藤さんは「当然できるよね」というスタンスで接してくるのです。新人教育のための試練という雰囲気でもなく、本気でこっちができることを前提にして仕事を振ってきます。とにかく走りながら、すべてを学び、トライし、そして成果を出していく――その後の人生を振り返っても、あの当時ほどハードな時期はなかったと思います。

任される案件は数百万円単位だったり、新規顧客開拓で100万円の売上目標を決められていたり、仕事を始めたばかりの僕にとって、そのプレッシャーはものすごかったです。つらいし、キツいし、心の底で何度、近藤さんを殺そうと思ったかわかりません（笑）。でも、不思議に頑張ろうという気持ちになって、やっていくうちに絶対無理だと思っていたことが実際に達成できちゃうんですよ。その後、自分でも起業をしてまがりなりにもやれているのは、この時に近藤さんにビシバシ鍛えられたおかげだと確信しています。

こんなエピソードを語ると、今の時代は「パワハラ」なんて声も上がりそうですね（笑）。確かに仕事はめっちゃくちゃハードでしたが、近藤さんに限っては理不尽に怒鳴られたり、圧迫を受けたりするようなことは一度もありませんでした。そうではなく、「成瀬ならできるよ！」と心から信じ、任せてくれるのです（だからこそのプレッシャーがあるのですが……）。新卒だからこの程度だろう、ではなく、一人前の戦力として扱ってくれるのが当時も本当にうれしかったですね。近藤さんの残酷なまでの信頼と期待に応えられる人は、僕自身も含めて短期間でびっくりするほど成長しました。できるようになるにつれて仕事は面白くなっていくので、自分から「あれやろう」「こうしよう」と動けるようになりました。

近藤さんとの仕事で特に心に残っているのは、新卒採用のエントリー数を増やすという仕事です。SEOなんてない時代に、あの手この手の裏ワザを考えて、毎日すべての求人サイトを必死で更新していました。結果、1万人の応募が集まり、一度の説明会に100人を超える学生が参加してくださるようになりました。しかし数人しかいないスタッフでこの100名の合否を正しくつけることが非常に大変だったことも印象深く残っています。毎回大勢の学生をさばくための「投票ルール」を決めたときも、僕は「そんなことしたら、学生から不満が出て殺伐としますよ」と大人な意見を言ったのに、近藤さんは「じゃ、その不満が出ない方法を考えよう」と言うんです。

できない理由を考えるのではなく、できる前提でどうするかを考える。これ、僕はひそかに〝近藤論法〟と呼んでいるんです。「空飛んでよ」と言われたら「何言ってるんですか？　そんなの無理です」と普通の人は答えると思うんですが、近藤論法だと「だって鳥は飛んでるじゃない？　人間だってできるよ」と言ってくるんです（笑）。

結局、この時も、①ジャッジするというのではなく「応援する」「推薦する」という意識で投票してもらう、②判断基準を明確に示して恣意的な投票が減るようにする、というアイディアで合理的に解決ができ、コンサル先でも同じ手法が取り入れられるようになりました。

一見して無理なことを無理と決めつけずに、どうやればできる？と考える「可能思考空間」が、当時から近藤さんの周囲にはあったんだと思います。それも、具体的な解決策をこまごまと指示するのではなく、方向性を示す視座や設計思想をポンと出して、後は僕たちに考えさせるのです。

今の日本のビジネスは、むやみにロジックとばかり言って、イーロン・マスクが「世の中のクルマ、全部、電気自動車にしようぜ」とか「ちょっと宇宙旅行しようぜ」というような〝ムーンショット〟が出てきません。近藤さんとレガシードが掲げる「超越」や「超超越」は、イーロン・マスク的な発想に近しいものがあるなと思っています。そんなのできっこないと思うのに、心が躍ってしまうのです。僕自身、またワクワクする仕事を一緒にしたいと、今から楽しみにしています。

信じて任せる？　実は「放置」（笑）

橘薫さん　公益社団法人日本国際生活体験協会 事務局長

私は近藤さんが主導で始めた新卒採用の1期生としてアチーブメントに入り、内定をもらった時点ですぐにメンバーとして配属されました。早速翌年の採用活動を一緒にやることになったのですが、プレゼンテーションの内容に改善すべきだと思うところを見つけて、会議が終わってすぐにメールでそのことを指摘したんです。

普通の上司だったら、まだ正社員でもない人間から正面切ってそんなことを書かれたら、カチンときますよね。実際、近藤さんからも特に「ありがとう」でもない、そっけない返事が来たんですが、いざ正式な配属が決まると当初内示があった営業ではなく、近藤さんが統括する企画のチームでした。それを見て、あの時のメールを認めてくださったのかな、とひそかに思いました。

その後も感じることですが、あれだけのアイデアとセンスがありつつ、周囲、特に自分より若い人の能力を冷静に判断できるのが近藤さんらしさだと思います。年齢や性別にまったくとらわれず、相手の能力を見て、信じて仕事を任せてくれる。とはいえ、実態は任せるというよりも

「放置される」というのが正しかったかもしれません。

いざ企画チームに配属されても、4月は採用の活動がピークを迎えているため、何をどうすればいいかはほとんど指導されないんですよ。ホームページのリニューアルという仕事とあらましのイメージは与えられたものの、あとは「頼むよ」というだけですべて自分が考え、手を動かしていかないと前に進みません。大変は大変でしたが、何せこちらは初めての社員経験です。初めてもった上司ですから、「仕事ってこんなものかな」と考えていて、あとから別の上司の部署に異動して、初めて「ああ、大変な上司だったんだな」と気がつきました（笑）。

近藤さんは、とにかく0→1の能力が異常に高くて、世の中にないものや考え方を思いついて、それを実現へと引っ張っていきます。思いつくだけの人は結構いても、近藤さんは質の高い、とんでもなくユニークなアイディアを先頭に立って牽引し、アウトプットまでやりきります。そのエネルギーにはいつも圧倒されていました。

特に記憶に残っているのが「ACT（アクト）」という商品です。従来の採用で行う筆記式の適性テストでは、その学生の本当の資質や能力は見えてこないというのが、近藤さんの持論でした。そうではなく、その人の何気ない行動から見えてくるものを定量的に判断するツールがあれば、隠された人間性はピタリとわかるし、最終的に個々の面接官の好き嫌いに委ねられる属人的な採用の精度を一気に上げられるはずだ、という発想でした。

例えば気遣いという点を見極めたいとします。グループで座っているテーブルに飲み物が出された場合、率先してみんなに配ったり、空になったコップを見て「注ぎましょうか？」と聞くことができたり、そういう細かな行動選択を行動心理学的にチェックするためのツールが「アクト」です。実現すればすべての就活生に必要とされる人間的な能力を数値化して判断できる素晴らしいアイデアでした。残念ながら、これは当時のＩＴ環境では構築が難しく、実現はできませんでした。

でも、そんな近未来的な発想も「できたらすごい」という目標を掲げて、それへ向けてメンバーと突っ走っていくこと自体が、近藤さんならではだと思います。「アクト」についてもご本人は決して諦めたわけではなく、今の技術ならおそらくもっと簡単に実現するでしょうし、レガシードでもすでにビジネス化しているかもしれませんね。

近藤さんと過ごした何年間かは、私の仕事人生に濃密に染み付いていて、今も単なる上司とメンバーの距離感ではなく、悩んだときはつい近藤さんに相談しアドバイスを求めてしまいます。こちらも、それにきちんと顔向けできる仕事をしていかなければ、と身が引き締まります。

近藤悦康伝説、真夜中の「電池切れ」

高田一洋さん　一心エステート株式会社 代表取締役

私はアチーブメントの新卒採用2期生として入社し、内定後すぐに近藤さんとの毎日が始まりました。まず驚かされたのはそのすさまじい働き方でした。仕事の後、お客様との会食があり終わりが夜11時くらいになっても、そこからまた会社に戻って仕事をするんです。普通はお酒が入ったら帰って寝たくなるところですが、近藤さんはそこからまたフルスロットルで作業をしていました。近藤さんがそんな調子ですから、当然僕や同僚、先輩方も一緒に、毎晩必死で作業していました。仕事をこちらにどんどん投げてくるのですが、近藤さん自身もそれ以上にガンガン働いていました。おのずと「負けずに頑張ろう」という気になりますよね。そのあたり、ただ丸投げにして「お先に」という世間の上司とは、まったく違いました。

近藤さんにとっては「寝る」という時間さえ、もったいないという気持ちがあったように見えました。「眠りにつく」というよりも、脳と身体の限界がきて急に倒れ込むというような表現のほうが合っているように思います。夜中になるとオフィスのソファにゴロンとなって一瞬で熟睡していましたし、時には自宅アパートへ帰る途中の路上で寝ていたこともあったみたいです。本人も周囲もそれを「電池切れ」と言っていました。2〜3時間後にはむっくり起きてまた仕事を始め、朝方に一瞬だけアパートに帰ると、また6時、7時には出社していました。「家はシャワーを浴びに帰るだけだから」と部屋には冷蔵庫さえ置いていませんでした。

近藤さんの下で働くうちに、僕たちも似たような生活をするようになっていました。僕は電池切れになると、イスを並べたり、床にシートを敷いてオフィスで寝ていました。近藤さんのように、部屋は徒歩圏内に借りて、シャワーを浴びて寝るだけの場所でした。

今改めて冷静に考えると、おかしいですよね（笑）。なぜそこまでやるの？　と聞かれれば、「やりたいから」としか答えられません。やったらやっただけ結果が出て、成長を実感できる。メンバーはみんな子どもがゲームにかじりついているような熱狂の中で働いていました。

近藤さんの下に集まったメンバーのレベルも、とんでもなく高かったです。起業家精神というか、勤めていても会社に依存するのではなく、会社を使って自分のやりたいことを実現してやる、というような野心も溢れていました。近藤さんは容赦なく鍛えてくれますので、みんなが一斉に開花していったのがあの時代のアチーブメントだったと思います。

こんなエピソードばかり出てくるので、近藤さんは「怖い」と誤解されていることも少なくありません。厳しくはあっても決して冷たい人ではないんです。ドンと任せてくれることを「放置」だと表現する人もいますが、いざというときには必ず自分が矢面に立ってメンバーを守り抜いてくれます。もちろん数字にはこだわりますが、それだけではなく、何をしたか、考え抜いたかというプロセスを必ず見ていますし、相手の人格を否定するような叱責も見たことはありません。絶対に他人を騙さないし、裏切らない。お金は好きだけど、お金のために転ぶこともないですね。不思議な人です。

僕の中に心残りがあるとすれば、近藤さんとアツく語った「世界で一つの教育のテーマパーク」がまだ実現できていないことです。すべての人に感動と教育を楽しんでもらう「レガパーク」が、どこかの海の上の島に生まれてほしいと、その日が来るのを心待ちにしています。

「破壊」と「創造」の人は、メンバー想い

河合克仁さん　株式会社アクティビスタ代表取締役

先輩の紹介で、アチーブメント新卒の2期目として入社しました。内定がでるやいなや即ＯＪＴ。といってもOn-the-Job TrainingならぬハードなOver Job Trainingでしたけれど（笑）。

近藤さんは生きざまがメッセージであり、メッセージが生きざま。ビジネスにおいて「破壊」と「創造」の二つを同時にできる、稀有な人だと思っています。内定後すぐに近藤さんの下に入れてもらい、その想いを達成するためのサポートができたことは本当に貴重な経験でした。幸い、体育会で陸上とスピードスケートをしていたおかげで、あの部署のハードな働き方にも耐えることができました。ただとにかく近藤さんの仕事に対するこだわりの深さ、スピードの速さについていくのは並大抵ではなかったですね。

近藤さんはお客様が納得されるまで、とことんお付き合いするスタンスなので、時には「この仕事、永久に終わらないんじゃないか？」という不安に襲われることもありました。そんななかでも心折れずに続けていけたのは、そのお客様が近藤さんに全幅の信頼を置いているということ

をひしひしと感じていたからです。近藤さんの仕事は常にそうで、クライアントとコンサルタントという味気のない関係ではなく、互いが同じチームの一員であるような強い絆が知らず知らずのうちに生まれるんです。

そうした空気を感じられたおかげで、僕はビジネス人生のスタートから「やらされるから、やる」ではない働き方を体験することができました。「やりたいから、やる」という充実感、上限を自分で決めずに働く喜びを日々感じていました。近藤さんの下で仕事の本質を学んだおかげで、当時の社内営業記録の6倍超の成績――聞いたところでは、以後十数年破られなかった記録だそうですが、そんな数字もあげられたのだと思っています。

私のなかで、近藤さんはビジネスパーソンというより、アーティストという位置付けです。プレゼンテーションは質量ともにハイレベル。それも、最後の最後、ギリギリまで集中力を切らさずに徹底してつくり込んでいくんです。クライアントへ伺う途中のタクシーの車内でもものすごい勢いでパソコンのキーを叩き、提出する資料の一文字一文字、フォントや大きさまで納得いくまで直し続けるのを見て、仕事というのはここまで突き詰めてやるものなんだ、と背中で教えられましたね。

加えて、近藤さんは、僕たちが仕事でお客様に感謝されると、自分のこと以上に喜んでくれるんです。社内向けのブログに「河合がお客様に評価されました！」と本当に誇らしげに書いてくれたり、まだ若くて未熟なメンバーを必死で守ってくれている、というのをひしひしと感じて何よりもうれしかったのを覚えています。

「近藤悦康被害者の会」代表として

山川咲さん　株式会社CRAZY WEDDING 創設者クリエイティブディレクター

近藤さんと初めて話したのは、アチーブメントも参加していた「逆求人」というイベントです。一般的な採用イベントは、企業がブースを出展しますが、このイベントでは学生側がブースを持ち、そこに各企業の人事担当者が訪れるという仕組みでした。私も、イベントでブースを出していた一人でした。

イベントの開始直後、金髪の男性が汗だくで駆けつけてきました。いきなり「今日一番会いたかった人はあなたです！」と言われたので、一瞬固まりました。もうおわかりの通りそれが近藤さんだったのですが、事前に私の履歴書を見て「こいつだ！」と思ってくれていたそうです。別れ際に「やっぱり君に会いに来てよかった！」なんて言うんですよ。そんなこと言われてうれしくない就活生なんていないでしょう（笑）。それですっかりペースに巻き込まれちゃって、近藤さんが会社を辞めるまで、私が一番長く一緒に働いたんじゃないかと思います。

私も近藤さんと同じで、何ごとにつけ、やるならとことんやりたいタイプですし、近藤さんみたいなビジネスパーソンが理想像でした。近藤さんの9割くらいは素晴らしい！と思いますが、やはりその下で働くのは地獄でした。「鬼だ！」と言いたくなるような無理難題を、平気な顔をしてふっかけてくるのです。こんなの絶対無理、絶対できっこないと思いつつ、私も根が素直な性分なのでなんとかやっているうちに、不思議にできてしまったりするんですよね……。

私も何度も修羅場を越えてきましたが、近藤さんは相手に「限界突破」をさせる力があるんです。自分が選抜したメンバーがどこまでやれるかをちゃんと見抜いているんですよ。本人はできないと思っていても、近藤さんにはできることがわかっているんです。また、単に「やれ」と命令するのではなく、「〇〇できたら最高だよね！」と拒むことのできない高い理想を掲げて巻き込んでくるので、こちらも「そうですよね！」と思わずうなずいちゃう（苦笑）。能力を引き出されるという感じではなく、いきなり放り出された雛鳥みたいに、こちらは必死ではばたくしかありませんでした。

今でこそ近藤さんが始めた新卒採用のアイデアは他社でも広く使われるようになっていますが、ずっと傍で働いていた私は、他社が真似できないようなユニークな選考方法が実験される現場も目の当たりにしてきました。穴を掘ったり、野外で三泊四日のサバイバルをしたり……。やりすぎて警察から叱られたこともあります。

特に記憶に残っているのは、暗闇で宝探しをするというミッションです。実はこの選考の途中に誰かが間違えて火災報知器のボタンを押してしまい、フロア中に「ジリリリ！！！」とすごい音が鳴り響きました。アクシデントなんですが学生さんたちはそれが演出だと思って「すげえ！」とますます没入していました。

近藤さんは世間のボーダーラインの2つ3つ先をいつも平気で超えていきます。ただ、そんな具合ですから、周囲から見れば〝暴走〟と評価されることも多いんです。そんな近藤さんの暴走のおかげで私たちまで白い目で見られストレスは溜まる一方。さらに近藤さんからあまりにも高いレベルの要求が次から次に降り注いでくるので、心が折れそうになったことも一度や二度ではありません。

とにかく、とんでもないアイデアでも「できる！」と信じ抜けるのは、近藤さんの天性の才能だと私は思います。私自身、起業した会社に「ＣＲＡＺＹ」と名付けたりして、その影響をかなり強く受けている気がします。近藤さんには大いに感謝していますが、それでもやっぱり「近藤悦康被害者の会」のナンバーワンだとも思っています（笑）。

コラム①　クライアントインタビュー

若者の目をキラキラさせる〝近藤マジック〟

株式会社キンダーガーデン　代表取締役社長　浦濱隼人さん

近藤さんと知り合った当時、私は勤め人として現在と同じ歯科医向けコンサルティングの仕事をしていました。先輩の見よう見まねで研修などをやっていたものの、なかなか結果を出せずに悩んでいました。支援先のスタッフの方々の前で話をする機会もあったのですが、皆さんイマイチ心ここにあらずの状態で、中には眠そうにしている人もいました。いまだに当時の様子を思い出すと冷や汗が出ます。そんな時に、当時の勤務先でコンサルをしてもらっていた近藤さんなら、どんなふうに話をするんだろう、とふと興味がわきました。

そこで私に代わって登壇してもらったところ、いつもなら5分もしないうちに眠そうになるスタッフの皆さんが、みんな目をキラキラさせて耳を傾け、終わる頃には「また来月もお願いします！」という空気になっていたんです。当時の私はその変容っぷりにただただ驚き、「なんでこうなるんだろう？」と、魔法使いでも見るような気持ちでした。以後、コンサルの考え方など、基本的なところからみっちり教えてもらいました。私にとっては師匠のような人です。

空気を確実に捉え、人の心を惹きつける

例えば、今では当たり前になりつつある新卒採用での「インターンシップ」も、そのムーブメントの火付け役は近藤さんだったと私は思います。20年前はそんな言葉すら知らない人のほうが多かったかもしれません。

近藤さんの優れているところは、単に話し方がうまいとか、見せ方が巧みという表面的な点だけではなく、その根底のコアとなる独創的なアイデアや、それを実現するための細かなこだわりです。頭の中で湧くイメージがものすごく鮮明なようで、こうすれば、人はこう動く、ということを経験と才能の両輪で熟知されています。そうした点は、のちに起業されたレガシードのビジネスにもいかんなく発揮されているのは確かです。

また、人の感情や気を読むのもうまいんです。誰しも、本音は言葉だけで表現せず、表情や仕草に出ますよね。近藤さんの場合、その細かな変化をしっかりと捉えて、その場の空気を支配していくんです。普通の人がマニュアル通りにしかできないところで、その時その時の空気に合わせて、語りや行動を変えていきます。あの感覚は、天才的だと思います。気づけばあっという間に近藤さんの話に引き込まれています。

僕自身もコンサルタントとして活動していくなかで、そんな近藤さんの姿には大いに影響を受けています。

レガシードのビジネスを支える「ブレない信念」

2017年に、全国規模で若手歯科医師の勉強会を立ち上げたときは、日本中で1万4000人程度しかいないという35歳以下の歯科医のうち、1700人を集めることに成功しました。この数字は、歯科業界では、ものすごいことなんです。先生方も「せいぜい数十人だろう」と思っていらっしゃるので、あまりの規模にびっくりされていました。その時ばかりは周囲から「人集めの天才」と褒めたたえられました。実はこれには裏話があり、集客のために近藤メソッドを使わせてもらったのです。

近藤さんがいつも言っている「誰に何を提供するかが大事」という視点に立ち返って考えました。マーケットのニーズを捉え、それに合致したサービスの提供にこだわったのが勝因だったのだと思います。若手の歯科医師が今、何に悩んでいるのかを徹底的に調査し、その課題を解決する場であるとのプロモーションが、非常に効果的でした。「これまでにないけれど本質的で、必要とされているものは必ず当たる」という近藤さんの言葉の意味が、実体験を通して深く理解できました。

このときは、あまりの反響の大きさに、次から次に届く申し込みメールも、「これ、迷惑メールなんじゃないか?」と疑ったほどです。近藤さんとレガシードが手がける新卒採用案件で、軒並み驚きの応募数があるというのもうなずける話です。

コンサルタントのスキル的な部分のお話をしましたが、経営者としての近藤さんの魅力は、ひと言で言って〝志に生きている〟ところだと思います。起業家というのは数字の面での成功もさることながら、経営を通じて何をやりたいか明確であるべきだと思いますが、近藤さんには「自分、そして自分たちはなぜ地球に生まれてきたのか、その答えとなる価値を提供したい」という、常にブレない信念がある。この先もレガシードの仲間たちと一緒に、その「超超越」をますます深めていってほしいと思います。

第3章

自分の分身をつくるだけでは「超超越」できないと気づいた日

「超超越」を目指す私の生き様を、誰よりも近くで見ながら一緒に走り続けてきてくれたのが、田中美帆という女性です。前章の最後で、「超越」から「超超越」へという転換のタイミングを迎えた私でしたが、実は会社を設立してしばらくは、事業が成長していく一方で、なかなか「超超越」へと向かっている実感がもてず、ジレンマを抱えていました。そのことを指摘し、軌道修正のきっかけをくれたのが、まぎれもない彼女だったのです。彼女は私の妻であり、レガシードを共に創業したメンバーでもあります。何もないところから二人で始めた会社です。苦しいことも悔しいこともたくさんありました。そのすべてを共有しながら、ビジネスパートナーとして、そして人生のパートナーとしてときにはぶつかり合いながらも、10年間同じ志を追いかけ続けています。

創業10年という節目に、改めて二人でこれまでの時間を振り返りました。この章は私、近藤悦康と、公私ともにパートナーである田中美帆の対談形式でお届けします。

気がつけば、結婚そして創業

田中　近藤さんとは、アチーブメント時代に私が新卒で採用してもらったときに出会いました。その後、どちらもアチーブメントを辞めて、私は海外勤務に憧れてベトナムの企業に勤めていました。結局レガシードの創業と同時に結婚して……。

近藤　そう、僕がプロポーズしたときはどう思って「イエス」って答えてくれたのかな？あらたまって聞くのも妙だけど、レガシードの創業に関わることでもあるし、そのあたりから話してみてくれる？

田中　私自身は当時、海外で働きたいとずっと考えていました。ベトナムの会社に就職が決まって日本を離れることになり、そこで近藤さんとの関係は区切りをつけたつもりでした。その前から近藤さんとはお付き合いをしていたんですが、エキサイティングな人ではあるものの、私が将来結婚したい旦那さん像とはかけ離れていました。ところが、ある日突然、ベトナムの会社の前で近藤さんが待ち伏せしてたんです。こんなふうに言うとストーカーみたいですけど（笑）。

近藤　事実だからしょうがない。

田中　別にドラマチックなことがあったわけじゃなく、せっかくベトナムまで来たんだし、一緒にご飯食べようよ、という展開でしたね。そんなふうに、一度は日本とベトナムで離れ離れになったはずが、近藤さんが何度か押しかけてくるうちに、気がついたら一緒に仕事せざるを得ない状況ができあがっていました（苦笑）。

近藤　当時、僕はＦａｃｅｂｏｏｋで「付き人募集」を呼びかけていました。応募してくれた学生を選抜し、４～５人のチームでインターンシップ的にビジネスの手伝いをしてもらっていたんだけど、そのうち何人かが「就活をしないで、このまま仕事をしたい」って言ってくれた。それで、「じゃあ会社を立ち上げようか」と思ったのね。ただ、そこではたと困ったのが〝守りの人材〟がいないということで、自分がどっちかというと〝攻め〟が強いだけに、それとは違うタイプが絶対に必要だ、と。

田中　それで、思い浮かんだのが私だったんだ（笑）。

近藤　そう。美帆はすでに社会保険労務士の資格をササッと取って、事務所にも入ってキャリアを積んでいたから、人事や労務関係に詳しいのはわかってたし。そしてもちろん、僕の一番の理解者だという確信があった。

田中　それは、どういう点で？

近藤　僕は他人の考えより、自分が「こう」と思う方向へ突き進んでいくけど、美帆は自分の視点と「近藤さんだったら、こうする」っていうのを両方持ってるよね。しかもその「近藤さんだったら」の部分が僕の考えとほとんどズレがない。そんなふうに共感してもらえるところが、とても頼もしくて、この先の人生でも、これから起こす会社でも「絶対に必要な人」だと思った。いきなりプロポーズをしても振り向いてくれないだろうと思ったから「一緒に起業したい！」という角度からお願いしたわけ。

田中　そういう時の近藤さんって、とにかくそうせざるを得ない状況をつくるのが、ほんとナチュラルにうまいですよね。学生さんの場合も、この人を採用したいと思うと向こうの返事を待つんじゃなく、「こういうコンサルの案件が入ったから、一緒にやらない？」

というふうに、その気にさせていく。私の時もそれと同じで、起業する前からプロジェクトに入れられてるみたいなシチュエーションを作られましたね。付き合ってるとか、付き合ってないとか、そういう概念は置いといて「どうせご飯食べるなら、一緒に食べようよ」と言われたら、断る理由はないですもん。ベトナムに来るたびに近藤さん自身の案件について相談されて、ベトナムにいながら起業のための手続きとか、最後はタスク管理やメールのチェックも任される始末で。

近藤　でも、アチーブメント以来、久々に仕事を一緒にやって、楽しくなかった?

田中　それもありましたけど、起業の手伝いをしたのは2つ理由があるんです。1つは「この人は諦めずに、やりきる人なんだ」っていうこと。それはアチーブメントの頃に、掲げた目標を必ず達成していたのを、改めて強く意識したってことですね。で、もう1つは「もう逃げられない」と腹をくくっただけです(笑)。

近藤　レガシードを創業したのが美帆の帰国直後の2013年11月11日。その半年後にプロポーズをし、OKをもらった。最初社員は僕たち2人で、あとはインターンシップから続けて参加してくれた学生の3人だけだったね。

今、この瞬間だけでなく未来を考える時間がもてるようになった

田中　あれからもう10年近くたちますけど、近藤さんって初めて会った頃からほとんどブレてないというか、変わってないですよね。

近藤　そうかな？　自分としては「僕、成長してるなぁ」と思ってるんだけど。

田中　それは、すべてを自分でやらなけりゃっていう気持ちが、以前より少し減ったっていう部分ですかね。前は、ネットにあげるちょっとした原稿なんかでも、とにかく全部、自分の手でやらないと気が済まなかったのが、最近は細かい作業を周囲に任せられるようになりましたよね。

近藤　それ、成長したってことでしょ？　いや、成長したのは僕じゃなくて、社員のみんなってことかな。「任せられる」と感じたからこそ、そんなふうにできるんだと思うし。

自分としては、より重要な仕事、こだわりの強い部分に集中するようになった。今この瞬間っていうより、未来をどうしていくかについて考える時間がもてているのは確かだね。

田中　その分、オフィスのデザインやホームページの設計については、前よりももっとこだわりが強くなったという感じですよね。工事が始まってからも、もう毎日のように現場に来て、気になるところは全部変えてもらったり。業者の皆さんも、その熱意にはあきれつつも感心していましたよ。

近藤　仕事って何ごとも自分一人ではできないし、その道のプロの皆さんとも徹底的に話し合って、僕が「こうしたい」というビジョンというか、イメージをわかってもらいたいんだよね。どれだけ僕に鮮明なイメージがあっても、実現するためにはチームのメンバーににそれを共有しないと始まらない。それは、社内のみんなに対してもまったく同じだと思ってる。

田中　そうそう、そういう点もやっぱり変わってない。自分のやりたいことがはっきりしてるというか、アチーブメントにいた頃も会社の朝礼とは別に、近藤さんのチームだけオリジナルの朝礼をやったり、チームで社内新聞を発行して配ったり、とにかく自由な人だなぁと驚きながら見てました。

テンプレ化で、幸せな仕事はできない

田中　今だから振り返って思うけど、当時は私も含め、みんなのなかに近藤さんをリーダーにして、若者の力で次の会社をつくっていったらいいじゃないか、というムードがありましたね。ただ、今、こうして経営の立場になると、そんなふうに既存のルールや枠組みにとどまれない人が経営の舵取りをするという点には、少し不安を感じている自分もいたりします。

近藤　ルールについては、僕もいろいろ考えるところがあるね。みんな知ってると思うけど（笑）、もともと自分自身はつまらないルールが嫌いだし、レガシードでもメンバーひとりひとりが自由で主体的に意思決定をして、最善のディシジョンをしていく、いわゆる「ティール組織」みたいにしたいと考えてた。5人とか10人のうちはそれでうまくいって

たけど、30人を超える頃からなかなか難しくなってきたなと実感した。それまでは明文化したルールがなくても暗黙的な感覚で通じ合ってたのが、そうはいかなくなってきた。
「よし、それならいっそ今のレガシードらしいルールをつくろう」と。例えば道路交通法だと、人が安全に暮らすという目的がある。赤信号で止まるというのは、人を縛るためにあるのではなく、お互いの生命を守ったり、快適に過ごしたりするために設定しているはず。その考え方がルールのあるべき姿。だから、目的のために最低限の条項があれば十分だし、時代の変化によってどんどん変えていけばいいと思ってる。そういう前提で、あとはみんなが合意していけば、ルールは減っていけばいいというのが僕の考えだね。

田中　でも一方で、いわゆるルールには組織にとって、行動のテンプレートになる部分があるし、普通はこまごましたことまで「これはダメ」「こうしなさい」っていう方向に向かいがちですよね。

近藤　そこが問題で、ものごとはマニュアル化したとたんに、チープで誰にでもできるようになっちゃう。今回の書籍のテーマになっている「超超越」とは真逆のベクトルだよね。自分で考えるっていう、人間として一番の基本を手放しちゃうわけでしょ。そんなんで、自分らしく幸せな仕事ができるかって、僕は思うんだよね。レガシードについて言えば、採用も教育研修もコンサルも、その時その時で相手が違うわけで、それをテンプレートにしたら独自性がなくなって、ほかとの差別化ができなくなると思う。

田中　そういうふうに考えるのは、近藤さんのアーティスト気質の強さですよね。アートっていうのは、常に既存のルールを破るところにユニークさが生まれるわけだから。

近藤　それが、まさに「超越」ってことだと思う。でも、一方でアートにも方程式というか、型というか、自分なりの創造の道筋みたいなものはあるんじゃないか――それをレガシード全体が共有することで「超超越」につながっていくと、ある時期からは考えるようになったよね。

ルールやマニュアルがあっても、らしさは伝わる

田中　それは、ルールづくりをそばで見ていて感じました。単なるマニュアルではなく、レガシードのクオリティの基準を設定する、と言えばいいのかな。それまでは近藤さんの感性はもちろん、私の感性、メンバー一人ひとりの感性に任せていたのを、より再現性を高く提供できるようにする、という感じかな。

さっき近藤さんが言ったように、人数が多くなって感性の違うスタッフも増えてくると、細かいところにバラつきが生まれてしまいます。説明会での椅子の配置や、音楽を流すタイミング、立つ位置。そんな細かいことにどれだけこだわれるのかが空間づくりにはとても大切です。これまでは言わなくてもそれくらい分かるだろうと思って当人任せにしていたことを、一つひとつ丁寧に共有したうえで、その都度それをベストなかたちにするために各人が工夫し、考えるスタイルが定着したからこそ、近藤さんもスタッフに任せられるようになったんだろうと思います。

近藤　アートのなかにも、お茶とかお花みたいに、一定の型や作法を伝えることで、流派としてのクオリティの高さを維持していくスタイルがある。能の世界では世阿弥の『風姿花伝』なんかは、その究極のかたちだよね。仕事の場合もまさにそれと同じで、レガシードにも「サービスポリシー」を定義しているけど、それは単なるお題目じゃない。表現における言葉、字面、間、音、形状、光、配置、空間、空気、そうしたすべてから発するエネルギーを調和させたうえに、お客様そして就活生に対する説得と納得を構築しないといけない。その点で、僕はレガシード流家元っていうことになるのかな（笑）。

田中　近藤さんがよく言う「書道は白い紙と黒い墨、その二つしかない」っていう言葉。その制約があるなかで、自分はどう表現するのかっていうのは、経営にも通じますよね。与えられた紙の大きさのなかで、何をどう書くか？　そこに、その人の個性や能力を最大限に引き出す面白さがあるわけだし、何の制約もないまま「さあ、感性のまま自由にやって」と言っても、いたずらに混乱や質の低下を招くだけだと思う。ただ、さっきも言ったように近藤さん自身が、前はかなりマイクロマネジメントなレベルまでチェックしないと気が済まなかったところを、かなり変わってきたと感じるのは確かですね。

近藤　そこはやっぱり、会社の規模が大きくなって、自分一人の力でできるレベルをはるかに超えるまでになった点も大きいかな。それはまた、レガシードが個々の超越の段階から、超超越な存在に成長しているっていうことだと思う。

社員は家族じゃない

田中　それで思い出したけど、いつだったか「はたらくを、しあわせに。」っていう言葉をめぐって、近藤さんと議論したことがありましたよね。当時の近藤さんの意識には、その言葉にあるように「社員は家族」という想いが強かったけど、私は断固として「社員は家族じゃないよ」と言い切りましたよね。

近藤　そうそう。あれ、僕にとって大きな転換点だった気がしてる。

田中　それまでの近藤さんは、社員は運命共同体なんだから、何があっても逃げずに絶対やりきれ！というスタンスでしたよね。難しい壁を乗り越えることを通して「やりがい」

をつくってあげたいっていう気持ちは、アチーブメント時代から一緒にやってきた私には十分にわかってるし、そこにある近藤さんの「親心」も理解していました。そのうえで、「やっぱり違うんじゃないか」と意見したんです。

採用にしても、近藤さんは自分とまったく同じタイプの学生を取りたがっていたけど、近藤悦康の「超越」の分身を増やそうとするより、一人ひとりが自分の理想をもったうえで自立をしていて、その人にしか作れない価値＝「超越」を確立しようとしている人が集まり、組織としての「超超越」を目指す方向に進んでいく方が良いと思ったからです。

近藤　うん。今、分身って言ったけど、当時はまさにその通りだった。家族というか、DNAレベルでのつながりや継承みたいなことを考えていたけど、あの議論をきっかけに組織全体としてのより幅広い「超超越」を意識するようになった気がする。最終的には僕がいなくても経営ができるといいと思う。そう考えると、やっぱり美帆の存在は大きい。

田中　それ、本心ですか？

近藤　もちろん。特にトランスレーターの部分。僕はどうしても自分のこだわりが気になる気質だし、細かい部分にまで口出しすることが多かったけど、美帆はそれをKPIの視点で捉えて、今この瞬間に必要な点はどこかっていう見方ができる。さらに僕がスタッフに矢継ぎ早に出す100個の指示に優先順位をしっかりつけてくれる。僕の理想に近付けつつも100すべてでなく、ギリギリ最高のレベルまで「翻訳」して指示や説明をしてくれるのが、本当にありがたい。

田中　そのつもりはなくても、近藤さんのアーティスト的な感覚って誤解されやすいから。

近藤　確かに、誤解されやすい（笑）。

田中　アチーブメント時代から、本当は自分のことや会社のことより、まず苦心しているスタッフの気持ちに寄り添ってきた姿は、私が一番知っています。例えば「つらい、でも頑張りたい！」っていう気持ちを代弁するメッセージムービーを、クライアントの方をお呼びした席でサプライズで流したこともありましたよね。あれってスティーブ・ジョブズが、完成した製品の見えないところに関わったスタッフの名前を彫らせてたというエピソードに通じますよね。

近藤　僕としては、「ああ、今みんなキツそうだな」と悟ったときに、彼らの悩んでる部分をクライアントの皆さんにもそのまま見てもらいたい、と思ったんだよね。そのことがまた、スタッフにとっても「今はつらいところだけど、あとひと踏ん張り頑張ろう」という気持ちを生んでくれたみたいです。

お金、人、創業期の試練を越えて

田中　キツいといえば、レガシード自体も特に初期は決して順風満帆だったわけじゃありませんよね。今でこそテレビでオフィスを紹介されたりしてきらびやかな印象をもっている人もいるみたいですけど、最初は本当にギリギリだった。いつだったかキャッシュがあと140万円しかない！というときがあって、あんな恐ろしい経験はもうこりごりです。

近藤　創業してあまり時間がたってない時期には、ありがちな展開だよね。事業は順調に発展しているにもかかわらず、なぜか手元にお金がない。当時はまだ、資金繰りとか減価償却とかがしっかりわかってなくて、二人ともびっくりだった。

田中　実績もまだまだだったから、銀行の融資はもちろんあてにできない。

近藤　あれは、「応援プラン」という奇策で乗り越えたんだよね。現金を用意するために、レガシードのサービス特典つきの協賛プランを作りました。結果4000万円以上の協賛をいただき、最終的には同額をキャッシュバックしました。自分ながらによくあんなアイデアを考えたと思うよ。協賛いただいた皆さんにはとにかく感謝するしかないですね。僕自身、お金の大切さは身に染みてわかっているつもりだったんだけど、あの経験のおかげでそれを改めて認識したな、と。

田中　その意味で、スタッフ一人ひとりが自分の仕事を通じ、いま現在のキャッシュを稼ぎ出しているっていう意識を忘れちゃいけないと、つくづく思います。特に会社が大きくなっていくと、お金の裏付けのないところで議論ばかりやるようになるし、成長とともにそうした点がないよう気をつけないといけませんね。

近藤　草創期の事件という点では、創業メンバーの3人が辞めたことも忘れられない。あの3人は付き人から「このまま近藤さんのもとで働きたい」と言ってくれて、だからこそ会社ができて、今のコアのお客様の基盤をつくってくれて本当に感謝してる。だからこそ離れていったときの痛みも大きかった。

田中　すごく強い想いをもって、創業に参加してくれた人たちばかりでしたし、近藤さんもそれに応えようと目一杯の試練を与えていました。コンサルティングっていう仕事は、お客様の企業理念を言語化したり、コミュニケーションの面でも相当に高いスキルを要求されますし……。特に、近藤さんの考える「超超越主義」のレベルについていこうとすると、相当に大変だったと思います。

近藤　僕を含め、一瞬は超越になり得ても、そのままの場所で満足して足踏みしていると、昨日の自分と同じになった時点で、もう超越じゃなくなってしまう。「超超越」を目指すレガシードとしては、自分を変革し続けられるかは、社員に対しても求め続けないといけない。それができないと、目の前の壁も乗り越えられないし、お客様の要望に完璧に応えられない。ここでは、「そのままでいることが許されない」という厳しさは、あると思います。

田中　それに関連して、最近気になる記事を読みました。「ホワイト過ぎる大企業から、できる若者が逃げていく」という内容だったんですけど、今は企業側もハラスメントやワークライフバランスの点で、新卒で入ってきた人たちに仕事も任せられず、腫れ物を扱うようにしている現実もありますよね。それで居心地がいいという人はOKなんでしょうけど、働くなかで自分の人生そのものを切り拓いていきたいというタイプ――当然、ポテンシャルも高く、仕事のできる層になるわけですが、彼ら、彼女らが「この会社にいて、自分は大丈夫なんだろうか」と悩んだ末に、1年もたたず辞めていくのはどちらにとってももったいないことだと思います。

近藤　本当の意味で「はたらくを、しあわせに。」と考えている学生さんにとって、そういう状況は実に不幸だし、そのギャップを埋めるためにも僕たちの仕事の意味はいよいよ大きくなっていくと思う。それにはまず、レガシード自身が本当の意味で日々進化し、超超越を目指し続ける会社でありたい。僕自身の性格として、4、8、12……っていうおおよそ4年刻みで大きな気持ちの変化があるんだけど、創業して10年というとそろそろ次のステップを具体化していかないと、という思いが強くなってきてるんだ。

田中　それは、そばにいて薄々感じてます。

近藤　その時は、美帆とどんな風な志事をすることになるか、まだはっきりとは見えていないけど、きっとタイミングは合うと思ってるんで、これからもよろしく。

田中　はい、どうぞお手やわらかに（笑）。

証言集――見た、感じた「超超越」への途 ③パートナー田中美帆編

近藤悦康らしさに、怒って、あきれて、感心した結婚式

近藤のすごさは未来を想像し、創造するという面だと思っています。社員へのメッセージ一つ、業務上の指示一つとっても、「なんだかできそう」「よし、やろう！」という気にさせてしまうコミュニケーションのスキルには、いつも驚かされます。一方で、余裕をもって段取りよく進めるタイプではなく、本番ギリギリまで決めないことや、開始直前でいきなり変更などがよくあるんです。企業様の研修でさえ、当日、開始の1時間前になってイメージが猛スピードで固まるなんてこともあります。そうなると、そこがどんな場所であっても「あれそろえて」「これ買ってきて」とこちらに振ってきますから、フォローする側は本当に大変です。

何ごとにつけ、実証的というか、やってみないと、進んでみないとわからないというのが近藤の行動原理で、新規事業についても先にいろいろ検証するより、とにかく「やる」。システム構

築なんかは一番苦手なところでしょうね。ああいうのは一歩ずつシミュレーションしながら進めていくので、後戻りがききません。近藤の場合、完成形のビジョンやイメージがポン！と出てきちゃうので、まずその部分のビジュアルがないと判断ができないんです。ほかの人よりずっと先しか見ていないというか、足元にはあまり興味がないタイプだと思います。

結婚式の時なんかも、そうした近藤らしさが爆発しました（笑）。披露宴のプロデュースを山川（咲）さんが引き受けてくれたんですけど、当時はレガシードの創業1年頃の一番忙しい時期だったものですから、出席者のこととか、席次とか、招待状のリストづくりとか、すべて私に任せっぱなしなんですよ。当日の打ち合わせもコーディネーターさんと相談しているのに、ほとんど見ているのか見ていないのかという様子でした。

当日は本当に素晴らしい式になりました。ただ、当時はまだ珍しかったプロジェクションマッピングを使った立体映像で二人のこれまでを映したのですが、立体感が十分に出しきれなかったんです。ほかにも近藤としては、会場のイメージが自分の思い描いていたものとギャップがあったようで、帰りのタクシーに乗ったとたん「……60点？」ってポツンとつぶやくんです。

こっちは一生に一度の最高のイベントを終え、幸せな気分に浸っているのに、「60点」ですよ！　私としては「はぁー!?」という感じで、怒りを通り越して呆れてしまいましたが、まさにこれが近藤悦康という人らしさでもあります。

1000回以上は「辞める」と言ってきました（笑）

仕事上のパートナーという点では、私のほうが意識して最終的には近藤に決定してもらうようにしています。夫婦で経営している場合、どちらかが権限を譲らないと絶対にバトルになります。レガシードでも当初は「一緒に経営しよう」とすべて平等だったのですが、会社が大きくなり、近藤が経営者として変わろうとしているタイミングが分岐点だったように思います。経営者としてあるべき姿や会社の理想の姿というものが、近藤の中で確立されていき、相談される場面が減った時期がありました。急激な変化に、私も理解が追い付かず「なんで？」と思っていましたね。だって、何も情報共有してもらえないし、知らないうちに勝手に社内でプロジェクトが立ち上がっていたりするんですよ。私も黙っていないほうなので、それについて不満を言うと「それは美帆の管轄じゃないから」と言われたんです。

その頃は一番悩みましたし、時には感情的になってぶつかり合い、「もう辞める」なんてセリフは1000回以上言ってきたと思います。ほとんど「辞める辞める詐欺」みたいになってます(笑)。それでも結局、辞めないで続けているのは、近藤が幾多と掲げるビジョンの全ての動機が善であり、誰かのために本気で立ち向かうという価値観に共感しているからです。多くの人にビッグなビジョンを提示したり、たくさんの人を巻き込んでいく力に加えて、1対1のコミュニケーションスキルがもっと上がれば、本人の実現したいと思う現実創造もぐっと早くなるかもしれないのにな〜、とも思いますが、そうすることで妙にバランスの取れた普通の経営者になってしまうのも、それはそれでもったいない気がしたり……。そんな贅沢な悩みを抱かせるところが、やはり近藤の近藤たるゆえんなんでしょうね。

第4章

超越から、「超超越」へ——一人では目指すことすらできなかった次元へ

新卒人材の計り知れないポテンシャル

「新卒社員は、戦力になるまで時間がかかるから、採りたくない」

「最近の若者は、安定志向で根性がないでしょう？」

「昔に比べて、バリバリ働きたい人が少ない」

「新卒を採ったら、いちいち教えないといけない」


新卒採用のコンサルティングをしていると、お客様からこのような反応をされることも少なくありません。やはり一般的なイメージとして、新卒人材や若い人材はそれだけで「使えない」「根性がない」「やる気がない」「仕事ができない」といった印象をもたれがちです。新卒採用は、あくまでも終身雇用を前提として、ゼロから教育できる会社だけがやるものだという固定概念は今も根強くあります。

「今時の若者は……」という嘆きはいつの世もされているといいますが、ひとくくりにしてその可能性から目を背けてしまうのは非常にもったいないことです。野球の大谷翔平選手、フィギュアスケートの羽生結弦選手、将棋の藤井聡太名人……。「ゆとり世代」「Z世代」と揶揄される若者たちの中には、挙げればきりがないほど、過去に例を見ないほどの圧倒的な才能と実力で各界に衝撃を与えている逸材がいます。どんな世代にも、ずばぬけて優秀な人材もいれば、そうではない人材もいます。

レガシードは新卒採用のコンサルティングを軸に起こした会社です。まずは自社でその効果を証明することが先決だと、私は創業1年目から新卒採用に力を入れました。知名度もない、お金もない、オフィスすらなかった生まれたての会社に2420名の学生からエントリーが集まりました。区の施設を借りて行っていた会社説明会は毎回満席。1年目から4名の新卒社員を採用することができました。その後も、レガシードの採用の主はあくまでも新卒採用。現在の組織構成は新卒社員が8割、平均年齢は27歳と、若い世代が中心となって動いている会社です。

もちろん、ただ若い人材が集まっているだけでは意味がありません。彼らが戦力として活躍し、中途人材を雇う以上のパフォーマンスが発揮できなければ、あえて新卒採用を薦める理由がなくなってしまいます。その点、レガシードは創業以来10年連続で増収。新卒1年目から給料以上の粗利額を稼ぐ社員がほとんどで、平均でも給料の3倍を超える粗利額です。

一般的には〝使えない〟と言われている新卒社員がこれだけの成果をたたき出していることを、私は心から誇りに思っています。新卒採用に関われば関わるほど、彼らのポテンシャルの底知れなさに驚かされます。

「超超越」を目指しながらも、うまくいかない日々

新卒採用に注力するというのは創業当初からの方針ですが、私自身の考え方は時を経て変わりました。自分たちにしかできない価値を創造する「超超越」の集団をつくるには、社長である私が社員を導いていかなければいけないのだとずっと考えていました。

前職で「自分にしかできない価値創造」＝「超越」を見つけた私は、社員も同じように超越することができれば、すごい集団、すごい会社になるのだと考え、メンバーの「超

越」をどうすれば後押しできるかを必死に考え、行動に移しました。一人ひとりが自分にしかできない価値創造を追求し、「超越」を見つけ、それを磨き、多様な超越が集まることで、レガシードという会社がもっと強く輝くのだというイメージは鮮明でした。

「『自分』にしかできない価値で終わらず、超越が集まり、磨き合って、刺激し合って「自分たち」にしかできない価値を追求していく！　まさに『超超越』だ！」

しかし、うまくいかなかった――。当時のレガシードは、ユニークな採用手法で事業を拡大し、メディアなどでも紹介され、周囲からはうまくいっていると思われていました。しかし事業の成長に対して、組織の力が追いつかなくなってきているような違和感、不安は日に日に大きくなっていきました。超超越という理想を掲げ、そこに向かって私も、メンバーも限りない努力をしているはずなのに、いつまでもその次元に近づいていないような気がしませんでした。

今振り返れば、当時の私はまさにワンマン経営者そのものでした。朝令暮改は当たり前でしたし、何においても、自分の理想通り、すべてにおいて完璧を求めてきました。入ったばかりのメンバーに対しても、常に自分と同じ基準で、最高のクオリティで仕事をすることを求めてきました。超超越を目指すためには、自分と同じ基準で仕事をできる人、つまり「超越」した人材をもっともっと増やさないといけないと考え、メンバーには求めて求めて求め続けて、できないことを責めました。彼らが寝る間を惜しんでつくったものを労いもせず没にしたり、「もういい！　自分でやる！」と取り上げたり……。今でこそ自分が未熟なうえの言動であったのだとわかるのですが、当時の私には「こうするしかない」としか思えなかったのです。頭の中には鮮明なイメージがあり、それを最短ルートで現実にすることこそが、お客様や社会のためになるのだから、とにかく「やれ！」としか言えず、やらせるためには自分が０から１００までコントロールすることこそが最善だと考えていました。

結果、どうなったか。社員は次から次に辞めていきました。特に、一緒に同じ夢を見て、苦難を乗り越えてきた同志だと思っていた創業メンバーが離れていったときは、本当につらかったです。レガシードにいて、ここで一緒に働いたほうが絶対に成長させてあげられるし、良い未来にしてあげられるはずなのに、こんなに大切に想っているのに、なぜ私の元から離れていくのかが、まったく理解できませんでした。

「一体、自分は何のために会社を経営しているんだろう」――

毎晩、ひとりでそんなことばかり考えていました。とはいえ目の前の仕事に忙殺される日々で、ただ走り回ることしかできませんでした。

自分から逃げていくメンバーの手を放したくなかった

創業期のレガシードは、少数精鋭のクリエイティブ職人集団でした。圧倒的なクオリティの成果物を出すことこそが最善だという価値観で、そのためなら採算度外視で時間をかけ、細部までこだわってつくり込むメンバーもたくさんいました。しかし、会社を経営する以上、利益を無視するわけにもいきません。超越のレベルをキープしながら、経営を成り立たせる難しさにも直面していました。

これまでは「いかに納品物を完璧に仕上げるか」を重視し、理念のみでつながっていたチームが、本当の意味で会社になろうとする過渡期の中で、メンバーに対しては、品質だけではなく、生産性、効率性、採算性、収益性などを求めるようになり、またさらに大切なメンバーが辞めていきました。

当時の私は、社員が辞めようとするたびに必死に引き留めようとしました。せっかくめぐり会って仲間になってくれたメンバーが離れていくのは、身を切られるようにつらかったですし、それが彼ら彼女たちにとって良い選択だともまったく思えなかったからです。仮に今はしんどくても、絶対に辞めるべきではないと考えていました。それでも去っていくメンバーを見て、「逃げ」だと思いました。

「家族だったら、何があっても逃げないだろう！」と、私はより一層強く彼らの手をつかもうとしました。

そうやって言い張る私に、妻がすかさず「社員は家族じゃないよ」と言いました。この一言が私の中で大きな転機になりました。妻は、「近藤さんの下で働くのは、確かにすごく成長できるし人生の中で濃い時間ではあるけれど、サステナブルではない。ずっと続けるのはほとんどの人には無理だよ。近藤さんと一緒に働くのが嫌だとか、つらいというのは決して『逃げ』なんかじゃなくて、ここからは新しい道に進んだほうが本人たちにとってもいいんじゃない？」と言うのです。正直に言うと、この瞬間にすぐに考えを改めたわけではなかったのですが、心のどこかにずっと引っかかっていて、その後も次々と辞めていく社員を見ていくうちにボディーブローのように後から効いてきました。「あぁ、あのとき美帆が言っていたのはそういうことだったのか」と。

また、今改めて考えると、当時の私にとってメンバーの退職というのは、その人が自分から逃げていくという意味だけでなく、自分自身がその人と向き合うことから逃げることになる、という認識だったのかもしれません。どんなに反発されても、親が子どもと向き合うことをやめられないように、メンバー一人ひとりに対しても絶対に手を離してはいけないし、可能性を諦めてはいけないと確信しきっていたように思います。実はこれも妻に指摘されたことですが、「仲間を辞めさせたくない」ということではなく、「本人の成長や幸せのためにも一緒にやったほうがいい」という動機善の確信からきていると考えると、当時の私が頑なになっていた理由もわかる気がします。

「結果が全て」からの脱却

私は、理想の結果を最短、最速、最高の状態でつくることしか考えていませんでした。その結果をつくる過程はつらく、苦しく、厳しいものでも結果を出せば報われるという発想でした。それが私と一緒に働くのは、サステナブルではないと妻に言われたことにつながります。当時は、自分の「超越」に自信があるからこそ、自分のやり方こそが絶対に正しいと確信していましたし、メンバーに対しても「僕の言う通りにやれば上手くいく」と半ば強引に事を進めていました。

それでもメンバーが入社し、頑張ってくれたのは、超越から生み出されるアウトプットの質の高さだったのだと思います。特に創業期は、私自身についてくれたというよりも、私が生み出すものや目指す理想に驚き、感動し、共感してくれたメンバーが集まってくれていました。しかし、それだけではどこかで必ず限界がきます。言っていることはコロコロ変わり、次から次に降ってくる緊急タスクばかりの日々で疲弊し、離脱していったメンバーたちは、最終的に、「お客様」ではなく「社長＝近藤悦康」を見て仕事をするようになってしまっていました。会社のため、社員のためと思ってやっていたはずのことが、結果的にメンバーの自尊心や主体性を奪い、超越から遠ざけていることも当時の私はまったく気づいていませんでした。

創業期のレガシードの判断基準は、すべて社長である私の価値観とその時の考えによっていました。その時々でお客様には最上のものをご提供したいがために、サービスを仕組み化することも絶対にやりたくありませんでしたし、枠に収まりたくないため、ルールや社内の決まり事も決めたくありませんでした。慶弔金の金額でさえ、会社への貢献度によって変わるからとケースバイケースでした。とにかくすべてを私がコントロールしたほうがうまくいくと信じきっていたので、創業してから数年間は、自分で提案書や見積書を作成して、求人サイトに載せる文面もチェックして、選考のプログラムをつくって、動画を修正して……と、何から何まで手も口も出していました。社員を信じて任せる、ということはできなかったのです。

しかし、次から次に辞めていく社員、理想通りに成長しない組織を見ていて、「本当にこのままでいいのだろうか」という葛藤は日に日に大きくなりました。

このころから、自分が100パーセント正しいはずだという思い込みを捨て、経営者としてのあり方を見直すようになりました。人は基本的に変わることができない、というのが私の考えです。しかし、変化ではなく、進化はできます。「自分ってこういうものだから」「創業者はこうだから」と今まで無意識のうちに決めつけていたことを自覚し、これまでは拒んでいたものも受け入れてみることにしたのです。私はこれを「拡張」と呼んでいます。右利きの人に左利きになれというのは難しいですが、右利きのまま、左手も使えるように練習することはできます。新しい引き出しを増やすイメージで、周囲の人からも積極的に学びを取り入れようと意識するようになりました。仕組みをつくるということや、融資を受けてチャレンジするというあり方も、この頃に学んで取り入れた経営スタイルのひとつです。

長い葛藤と大きな壁を乗り越えることができたのは、私が自分自身のエゴに気づくことができたからです。メンバー一人ひとりに対して、「自分が導いてあげよう」「僕の言うとおりにやればうまくいく」そんな気持ちで接していたことに気づいたのです。この気づきと反省の詳細はまた第五章でご紹介しますが、これをきっかけに、社員との関わり方を見直してから、組織の成長スピードは急激に加速しました。

私がすべて導いてあげなければいけないと考えていたときには思いもよらなかった発想

やアイデアが社内から湧き上がり、私が正しいと思っていた方法とは違うアプローチで達成されていく様子も多々目にしました。こうして、レガシードという会社が近藤悦康という一人の人間の器を越えたと私は確信しました。今この会社は、私一人では目指すことすらできなかった次元へ、動こうとしています。

私、そしてレガシードという会社がこうして進化することができた裏には、メンバーたちの成長があります。彼らが心から信頼して任せられる人材に成長してくれたからこそ、私は自分のエゴを捨て、私のやり方に固執するのではなく、メンバー一人ひとりの超越を伸ばし、私が持つ超越とはまた違う彼らの力を借りる、という方向へ舵を切れたのだと思います。「レガシードは、近藤悦康の会社」ではなくなり、個性豊かなメンバーの集合体へと進化し、分厚い殻を破りました。ここからは、そんなレガシードの成長を支え、引っ張ってくれたメンバーにスポットライトを当てたいと思います。新卒でレガシードに入社した彼らが、どのようにさまざまな壁や葛藤を乗り越え、「自分にしかできないこと」を磨いていったのか。本人たちのインタビューを交えながらご紹介します。

コンサルできないコンサルタントが、新規セールスの壁を壊した

「近藤さん、このあと時間ありますか？　僕、このあたりの居酒屋を80店舗知っているので、食べたいものを仰ってくれたら、僕が良いお店予約しますよ！　なので、一緒にご飯に行ってくれませんか？」――

ある日会社説明会が終わるやいなや、一人の学生がそうやって声をかけてきました。これが、現在レガシードでセールス部のマネジャーを担っている小池勇二郎との出会いです。街行く人に居酒屋や飲食店を紹介する「キャッチ」として、名古屋の繁華街で鍛えたというそのコミュニケーション力と営業力は、就職活動の場でもいかんなく発揮され、彼は、業種業界問わず、多くの経営者や採用担当者が喉から手が出るほど欲しがる人材でした。名だたる大手企業から内定をもらっていた彼が、無名のレガシードへの入社を決めたのは、「あの会社に入って、勇二郎すごいね！と言われる人生と、今は誰にも知られていないレガシードが5年後、10年後に誰もが知る会社になっていたときに、あのレガシード

をつくった勇二郎すごいね！と言われる人生、どっちがいい？」という私の言葉だったそうです。

費用対効果が重視されるＢｔｏＢセールスの世界で、無形の教育商材を売ることは非常に難しいと言われています。そのハードルを越える方法の一つが、コンサルタントや講師自身が直接提案・セールスをすることです。自分が納品するものであれば説得力をもってその価値を語ることができますし、自分自身を見てもらうことでそのクオリティの高さを感じ取っていただくこともできるからです。

しかし、このやり方には限界もあります。私やベテランのコンサルタントならまだしも若手のコンサルタントが新規の提案とコンサルを両立するのは技術的にも工数的にも難しいものです。そこで私は新規セールス部門を確立しなければいけないと考え、中途で経験のある人材を採用したり、営業のアウトソーシングの会社を活用したりしましたが上手くいきませんでした。この状況を克服してくれたのが、まさに勇二郎です。彼は「自分がコンサルをしなくても売れる」営業を実現させせました。また、自分一人だけが売れて終わりではなく、チームのメンバーを育て、セールスチームを、成果の出せる部門へと成長させました。長年未達が続いていた新規セールスですが、今では目標達成のサイクルが出来上がり、安定して新規のお客様にご契約いただけるようになりました。

彼がなぜ、新規セールスチームを飛躍させることができたかというと、一つは彼自身がもつ、圧倒的なコミュニケーション力です。私も創業経営者ですので、営業力には自信がありますが、路上で鍛えた彼のトーク力や人心掌握術には驚かされます。もう一つは、根本的な考え方の違いです。私の場合は「自分が納品するからこそ提案できる」という思いが強くあります。それは、商品に対する自信であり、自分に対する自信の表れでもあります。彼の場合は、自分自身のこと以上に、仲間や会社に対する信頼がものすごく強いのです。実は、彼はコンサルタントとしては思うような成果を出すことができませんでした。その反動からなのか「僕ではなく、僕の大切な仲間が納品するんですから、絶対最高の結果になりますよ！」そんな心の声が聞こえてくるような、魂のこもった営業トークを繰り広げます。仲間を信じて売る、と言葉にするのは簡単ですが、それをここまで体現できる人を私はほかに知りません。

今やレガシードにとって欠かすことのできない存在となり、メンバーや後輩からも尊敬を集めている勇二郎ですが、入社当時から順調だったわけでは、実はありません。抜群のスキルをもっていたはずなのに、成果が出ない、売れない。一時期はげっそりと痩せてしまい、本当にこの状況を乗り越えられるのだろうかと心配する気持ちもありました。そんな苦しい時期を乗り越え、才能を爆発させるまでの軌跡を、本人から語ってもらいます。

＊　＊　＊

マネジャー（入社8年目）　小池勇二郎さん

成果が出せず苦悩する日々。一カ月で12キロ痩せたことも。

僕は「ファシリテーター枠」でレガシードへの入社が決まりました。当時としてはかなり最先端なジョブ型採用です。ファシリテーターなので、（近藤さんみたいに人前に立って何かを話すことになるんだろうな……）とおぼろげながら自分のキャリアをイメージしていました。

結論から言えば、僕のそんなイメージは打ち砕かれることになります。まずは内定者アルバイトとして入ったのですが、「自分が何をやりたいか」なんて考える余裕もないほど、仕事が次から次に降ってきます。しかも、それをうまくさばけない自分がいるのです。喋ることには自信があったのですが、新入社員に喋る仕事は振られません。先輩たちもひたすら忙しそうなので、コピーを取ったり、学生向けのメールをつくったりしながら、（この人たち何時まで働くつもりなんだろう……）と様子を伺っていました。

それから、入社4年目の途中くらいまで、僕のレガシード人生は失敗の連続で、正直に言うと、かなり苦しい時期が続きました。レガシードの主軸である「コンサル」で成果を出せなかったのです。先輩たちがやっていたことを見よう見真似でカタチにしてもことごとくうまくいかず、しまいにはメンバーのほうが順調に成果を上げてくるのです。先輩としての威厳も、上司としてのプライドもずたずたでした。「なんで？ どうして？」と悩む時期が半年ほど続き、ある時には1カ月で12キロも痩せました。

入社4年目が、私にとっては大きな転機でした。レガシードではそれまで「新規セールス」は近藤が登壇する講演会に見込客を呼び込むという方法をとってきましたが、そうではないやり方を模索しようと「セールスチーム」が立ち上がりました。僕は自分で手を挙げ、リーダーとして配属されることになりました。

今でも忘れません。8月の暑い日でした。渋谷のオフィスビルでの商談で、目の前には先方の社長、役員、人事責任者が並んで座っていました。水を得た魚のように、自分の口からよどみなく言葉が溢れてくるのです。レガシードのサービスの価値がどれだけ高いか、自分でも驚くほど、熱をもって魂を込めて喋ることができました。その場で口頭での承認をいただき、帰り道には同席していた後輩から「勇二郎さん、イキイキしていましたね」と言われました。

突然、自分が覚醒したような感覚でした。そして、その理由は明らかでした。「俺が納品しないんだ。森田（同席していた後輩）がやるんだから、絶対成功する！」という確信があったのです。営業には4つの確信という考え方があります。【会社】【商品】【仲間】【自分】に対する自信です。しかしコンサルタントとして成果を出すことができなかった僕は、ずっと自分への確信が欠けていました。レガシードという会社も最高、サービスも最高、メンバーも最高！　それは自信をもって言うことができました。これまで、採用コンサルティングの場面でも、本当に感動するようなシーンを幾度も目にしてきました。しかし、私にはそれがつくれなかった。私が関わることで、100点満点のものを45点にしてしまうような気持ちをもっていたのです。しかし、セールスという立場で自分が納品しないのであれば、100点満点の価値をそのまま伝えることができたのです。

チームではなく「個」の力で売ろうとしていた時期

セールスに配属されてからも、すべてがうまくいったわけではありませんでした。セールスという得意分野で、自分自身は成果を出せるようになってはいたのですがチームとしては未達が続きました。ある程度売れてはいるのですが、目標はまったく違う次元にありました。当時の私は目標を目標として捉えておらず、ただ会社から与えられた数字だと思っていました。チームとして伸び悩んでいるところに、営業経験が豊富なメンバーが助っ人で入ってくれ、僕もたくさん勉強をさせていただいたのですが、状況が好転している感触はつかめないままでした。今冷静に振り返れば、当時の私は、チームメンバーの目標や彼らや彼女らが達成できるかどうかなんてことは一切考えていなかったとよくわかります。「メンバーたちは売れないから、自分がやらなきゃ」と思い、一生懸命頑張っているつもりでした。リーダーとしてメンバーを育成する役割があることは理解していましたが、目の前の数字と戦い、「それどころじゃない」と言うのが本音だったのです。

2021年、私は個人としての営業成績が評価され社内のMVPを獲得しました。創業記念イベントで、自分で司会をしながら、プロジェクターで投影された私の名前と写真を見て「え？　私？」と驚きました。正直言って、複雑な気持ちでした。確かに個人として最もバリューを出した賞としてはありがたいと思う一方で、自分の下に付いているメンバーが誰一人選ばれていない現実がありました。セールスチームのリーダーという役割を担っているはずなのに、ふたを開けてみれば評価をされているのは自分だけ。結局、個の力で売っていたにすぎない現実を突きつけられ「それってどうなん……?」と、リーダーとしてのあり方を自問自答する大きなきっかけになりました。

それから2カ月後。大事件が起きました。セールスチームの単月の受注達成率が15%というとんでもない数字で着地をしてしまったのです。セールスチームというのは会社に血液を送るポンプのような存在です。そのポンプが機能しないと、会社が存続できません。この月を機に、近藤がセールスチームに入り、大改革をすることになりました。

仲良しクラブから世界一のセールスチームへ

セールスチームは楽しそうだと、よく言われます。僕は以前から「心理的安全性」をキーワードにして、せっかく一緒に働くのであれば楽しくありたいと考えていました。しかしいくら楽しく働けても、成果が出ていないうちは、ただの仲良しクラブに過ぎません。

そんな私たちのチームが変わるきっかけになったのが2022年2月2日のことです。近藤がチームに入り、「世界一のセールスチーム（セールス）だったらどうか？」をテーマに動き始めました。

真っ先に行ったのは、後に「世界一の朝会」と呼ぶようになった、朝の4時からの会議でした。4時集合の号令に驚きつつも、朝4時に無事全員集合。そうして集まったメンバーに対し、近藤は「朝4時から会議をやるセールスチームは世界を見渡しても自分たちだけ。今この瞬間、この1点に関しては『世界一のセールスチーム』だと胸を張っていい。同じように、一見無理だ、そこまでやる必要はないと思うようなことでも、安易にゴールを決めてしまったり、常識に囚われるのではなく、本来、僕たちは、どこまでやれる力があるのか。42・195キロメートルなどのゴールを安易に設定しないとしたら僕たちはどこまで走れるのか、どこまで行きたいのか改めて見つめてほしいと思います。」と伝えました。

そして、事前に揃えてきたデータをもとに、「これなら絶対達成できる！　僕たちならもっといける！」と近藤と共に具体的な達成計画をつくりました。この朝会で気合を入れ直した……と言いたいところですが、その2日後にはまた近藤から檄が飛ぶことになります。その世界一の朝会で、私たちは決裁権者に毎日4社に提案することを全員で決めました。ところがあるメンバーが、まだ翌日の予定提案数（アポイント）が4に達していなかったのに、別の作業をしていたところにちょうど近藤から電話がかかってきたのです。

「調子はどう？」

「あ、明日のアポはまだ決まってないんですけど、今事前のヒアリングシートを作っているので、後で確認してほしいです」

その言葉が、近藤の怒りスイッチを押してしまいました。

「明日のアポ設定が目標に達していないのに、なぜ他のことをしてるんだ！　毎日達成をつくるって決めたよね！　事前シートなんてやっている場合じゃないだろう！　明日の提案予定を4にすることが今チームの最優先事項じゃないか？　頼むからその目標を絶対連続で達成するということに、皆で命をかけて取り組んでほしい！　もしできないなら僕も動くから連絡してくれ！」――

このやり取りを横でもう一人のメンバーと一緒に見ていて、そこでようやく私たちは

「近藤さんは本気なんだ！　本当にやりきる必要があるんだ！」ということに気づき、その日から気持ちを切り替え、日々の目標を何がなんでも毎日達成するようになりました。

リーダーとして未熟だった当時の僕は、なんとしても成果を求め、厳しくあるべきときに厳しくあるというリーダーの役割から逃げている節がありました。近藤のあり方を間近で見て、自分のやり方を見直すきっかけになりました。

その年、セールスチームに与えられた目標は未達だった前期のさらに2倍近い目標数字でした。正直初めは「本当にできるのか？」と半信半疑ではありましたが、とにかく毎日の目標達成を死守しながら走り回る日々でした。そうして過ごすうちに上半期が終わるころには、「いけるんじゃないか？」という感覚に変わっていきました。

そのタイミングでメンバーと合宿を行い、チームで今後のセールスをどうするかを改めてじっくりと話し合いをしました。僕の中ですごく印象的だったのは、近藤がこの議論にほとんど口を挟まなかったことです。以前の近藤であれば、最初から議論をかっさらって、「僕のやり方でやれ」と言っていたはずです。僕は途中で少し不安になり「近藤さん、僕たち自分たちの意見ばかりバンバン言ってしまいましたが、どんな風に感じていますか？」と尋ねてみたのですが、近藤からは「みんなの議論がすごく本質的だったし、この状態であれば年間の目標も達成できると思ったよ」と言われました。経営者としての近藤のスタンスの進化を感じると同時に、このチームに対して信頼をしてもらえているのだという実感を得たタイミングでした。

目標未達成だったチームは、今では達成が当たり前になり、「正直無理だろう」と思っていた年間目標も無事に達成することができました。近藤の姿勢から学んだリーダーとしてのあり方を踏襲しながらも、自分の中で大切な価値観は残しながら、小池のチームに入ったからには「めちゃくちゃ楽しみながら仕事ができるようになる」「誰からもモテる人間になる」ことをテーマにチームづくりをしていきたいと思います。

ただの仲良しチームだった僕らセールスチームは、これから世界一のセールスチームになりますので、ぜひその成長も楽しみにしていただけるとうれしいです。

＊　　＊　　＊

近藤悦康にしかできなかった「提案と納品の二刀流」を体現

「提案」と「納品」の二刀流を、私と近いレベルで体現できた人材が、コンサルティング事業部でマネジャーを務めている八代皐貴です。レガシードでは社内規定で、営業やコンサルなどさまざまな業務に対して「どれくらい利益に貢献したのか（社内ではこれを「粗利」と呼んでいます）」という分配指標をつくり、これが社員評価のもとになっているのですが、彼は25歳で、粗利にして7000万円もの貢献をしてくれました。個人でこれだけの成果を出しながら、チームも束ねています。プレイングマネジャーの鑑のような人材であり、これだけで、彼がどれほどすごいのかご理解いただけるのではないでしょうか。

さて、〝私に近いレベルで体現できた〟という表現をすると、まるで近藤悦康の二番煎じのような印象を抱く方もいるかもしれませんが、そうではありません。そもそも私と彼の提案スタイルはまったく違うのです。私は一経営者であり、世の社長が何に悩んでいるのかも同じ立場として手に取るようにわかります。さらに、これまでのメディア掲載や書籍の出版実績など、初対面であっても信用していただける材料をもち合わせています。そうした背景があって私が行う提案や納品と、20代で、社会人5年目の彼が行う提案や納品は、同じことを言っていたとしてもその重みや受け取られ方はまったく違います。

八代は、見た目には営業職特有のバリッとしたオーラではなく、さわやかな若者です。ただ、言っていることが的を射すぎていて、お客様の心をグサリと刺すのです。小さな子どもが親に「なんで？」と本質的な問いを投げてくるように、私たちがとらわれている思い込みや常識、大人の事情を飛び越えて素朴な疑問をぶつけてきます。

「こういう課題があるので、これは絶対解決したほうがいいですよね。なんでやらないんですか？」

と無邪気に問いかけられると、「いや、まぁ、確かにその通りなんだよね」と認めざるを得ないのです。

八代の提案の根本にあるのは、お客様自身が気づいていなかったり、気づいてはいるものの目を逸らしていたりするような本質的な課題です。全体を俯瞰して、本当に解決しなければいけない課題を見抜く感性が天才的なのです。その課題を解決するためには、サービスを導入したほうがどう考えてもプラスになりますよね、と言われると、イエスとしか言えなくなってしまいます。私はよく、「レガシードのサービスを必要としない人なんていない。すべてのお客様がターゲットだ」という話を社員にもしていますが、そうは言っても実際に営業やマーケティングを考える際には、ニーズが顕在化しているお客様が対象となることがほとんどです。一方で、目に見えない、言葉になっていない課題を掘り起こし、お客様が自然と納得してしまうのが、彼の提案スタイルです。

何でも器用にこなせて、飄々としている印象もある人物ですが、よく見ていると学びの吸収率がずば抜けて高いことがわかります。ほかの皆が時間をかけてようやくできることも、八代はスッとできてしまう。本人曰く、「やってみる」という決断が早いのだそうです。迷うよりも先に、まずやる。彼が入社した当時は、レガシードにも教育の体制が整っておらず、そうするしかなかったとも言えるのですが、それが結果的に彼の中の果てしない能力を引き出したのかもしれません。また、一度や二度断られてもまったくへこたれない。以前断られたことも、何の躊躇もなく何度でも提案します。売り上げのために勇気を出して営業しているのではなく、「そちらのほうがお客様にとっていいに決まっているから」と当たり前のようにできることが彼の強みでしょう。

彼に関しては、もはや私はあえて「意識しない」ことにしています。あえて私が関わらないことで、近藤悦康とは違うまた新たな面白いものを生み出してくれるのではないかと期待しています。また一方で、天才肌の彼の提案スタイルは再現性が難しいものでもあります。そんな彼がマネジャーとして今後どのようにメンバーを育てていくのかという点にも注目しています。

＊　＊　＊

マネジャー（入社5年目）　八代皐貴さん

器用貧乏で、「努力」ができなかった子ども時代

私は小さい頃から、大抵のことは人よりできる子でした。わざわざ勉強しなくてもテストは一番をとれましたし、スポーツも得意でした。何か一つのことに熱中するということもなく、どれもそれなりに楽しんでいました。定期テスト前にみんなが一生懸命勉強をしている様子を見て、私は内心（テストで点を取るための勉強に何の意味があるんだろう……）と思っていました。まるで自分が「できる人」かのような紹介から始まってしまい

ましたが、生まれもった器用さの反面、私の一番のコンプレックスは「努力できないこと」でした。努力しないでいい範囲でしかやってきませんでしたし、もしガラにもなく一生懸命努力をしてうまくいかなかったときが怖かったのだと思います。子ども時代はそうしたセンスや器用さでうまく立ち回ってきましたが、だんだんそれだけでは勝てないようになっていきました。

高校3年生のときに、大きな2つの挫折を味わったのです。部長を務めていたゴルフ部では、あと数打差で関東大会出場を逃し、余裕で合格できるはずだった大学受験では、あと数点の差で落ちました。立て続けにあと一歩のところで届かないという経験をして「あぁ、世の中はやっぱり頑張った人が最後は勝つようになっているんだな」ということがストンと腹落ちしました。ショックというよりも、こういうもんなんだなという納得が大きかったですね。自分自身はそれで良かったんですが、親や、一生懸命指導してくれたゴルフ部の先生のことを思ったときに「自分がこういう生き方をしているのって、すごく失礼なことなんじゃないか?」と強く感じました。私の親は焼肉屋を営んでいるのですが、毎日深夜1時まで営業しているので寝るのは2時や3時です。そして私は毎朝7時前に登校していたのですが、そのときにはお弁当が用意されているわけです。冷静に考えてみると「なんでこんなにやってくれているんだろう」という、そのすごさ、見えないところでものすごく支えてもらっていたことにようやく気づきました。私が大切にしている言葉の一つに「誰かに応援してもらった人は、夢をかなえる責任がある」というものがあるのですが、もう周囲の人の支えや応援をドブに捨て続けるような生き方は絶対にしたくないと、強烈に感じました。

「できそうなこと」をやると、テキトーな人生になってしまう

自分の中で大きな価値観の転換があったのですが、とはいえこれまで努力をしてこなかった人間が急に何か一つに打ち込むことはなかなかできませんでした。大学時代は縁あって居酒屋のアルバイトでほぼ店長のような仕事をしていましたが、ここでも、楽しいけどもう一歩頑張りきれないような感覚をもっていました。そんななか、一つ大きな気づきがありました。私自身はアルバイトの仕事を忙しいながらも楽しんでやっていましたが、周りの人はそうではない、ということ。お客さんの会話を聞いていても、未来に対する希望で盛り上がっている席はほぼなく、半分以上が愚痴のような話でした。（面白くない世界なんだな）と思うと同時に、自分もテキトーに生きて文句を言いながら働く社会人にはなりたくないという危機感がありました。昔からやればある程度できた分、「自分にできそうな仕事」に就くと、これまでと同じ、〝あと一歩届かない〟がついて回るのではない

かという危機感が芽生えました。

就職活動の中でいろいろな会社を回り、インターンも経験しましたが、だいたいどこにいっても「できそうなこと」しかやらせてもらえませんでした。いろいろな会社の話を聞いてみても、良くも悪くも未来が見えすぎていて、そのすでに見えている着実な未来を実現することには少しもワクワクできませんでした。

そんなとき、友人に誘われて行った合同会社説明会で意味不明な会社に出会ったのです。真っ黒のブースにはなぜか一万円札が30枚ほどぶら下げられており、そこに100人ほどの大行列ができていました。興味半分で並んでみたら、そこで語られているのは会社案内などではなく、夢や志の話。それも近藤が語る未来はあまりにも壮大すぎて、そこで働く3年後や5年後の自分の姿はまったくイメージできませんでした。それでも私にとってはそれがジェットコースターのような刺激的な人生に思えて、とてもワクワクしたのです。普通なら大ボラと言われてしまうようなでかい夢を、子どものように真剣に追いかけている大人がいる。この人たちの近くで、未来を一緒につくっていきたい。人生をかけてかなえる価値があるものを、もっている会社だ――。気づけば、僕はすっかりレガシードに、そして近藤悦康という一人の人間に魅了されていました。

もし、高校のときのあの挫折経験がなければ、私はこんなスリリングな道を選んでいなかったかもしれません。きっと今もどこかの会社でそれなりにやるだけの〝困ったちゃん〟になっていたと思います。

「自分のために頑張る」では努力できなかった

ここまでの話でお伝えしてきた通り、私は元来、「なんとなく」「そこそこ」で、感覚的に生きてきたタイプです。そのため、レガシードに入社した当初も、会社の社生をかけたストーリーに向き合う覚悟や責任感は欠けていました。仕事そのものの面白さも感じていましたが、どちらかというと難しい問題をクリアしていく感覚や何かを創り上げていくプロセスを楽しんでいたというほうが正しいかもしれません。

この意識が変わったのは、やっぱり経験でしょうか。私が入社した当時のレガシードには教育体系というものもほぼなかったので、自分でなんとかやっていくしかありませんでした。初めてお客様の選考プログラムをつくるとなったときも、他社のインタビュー音声を6本渡されて、「その辺に事例があるから見ておいて」と言われただけでした。とにかく自分で考えて動くしかありません。それが近道だったのか遠回りだったのかはわかりませんが、自分で考えて、自分でやるという環境だったからこそ、その成果に対する責任感は日に日に強くなりました。最終的に目指していた結果が出なかったこともありましたし、逆にものすごく良い結果がでて、お客様の採用活動の変革を通して、一人の人の人生が変わっていく様子を目の当たりにしたこともありました。

そうした経験を積む中で自覚したことですが、私は「自分一人のために」頑張るということはできない人間でした。自分が成功したいとか成長したいという感覚が薄いんですね。一人よがりの成功の先には僕が目指すものはありません。なので、自分が楽しいとか、難しいことをクリアした達成感で自己満足でやっていた時期はやっぱりこれまで通りの「そこそこ」レベルだったんです。そこから徐々にベクトルがお客様に向いて「この会社のために」「その先に世の中が、夢ある社会になっていく」と心から思えたときに、そのためだったらとことん頑張りたいなという気持ちが初めて芽生えました。

内定者時代に、100時間でも1時間でも、最終的な成果が一緒だったらその価値は同じだという考え方を近藤から教えてもらい、自己評価で主観的な「頑張った」に満足するのではなく、成果に向き合うという価値観を手に入れられたのもすごく大きかったと思います。

お客様自身よりも理想を高く掲げること

その企業様の魅力、仕事の価値を〝代弁者〟として再定義し、理想の会社へと導いていくのが私たちの役割です。しかも通り一遍ではなく、働いておられる社員の方たちも気づいていないような価値を、就活中の新卒の学生さんに訴求していく必要があります。そこでとにかく心がけているのは「お客様自身よりも理想を高く掲げる」という点です。まだ十分に知られていない存在意義や、秘められたポテンシャルを最大限活かしていただくためにも、その企業様の社員になった気持ちで、誰よりもその会社のことを愛そうと決めています。お客様をお客様と割り切ってしまったら、そこでおしまいです。

現時点では仮に理想論でも、〝本当は目指したい理想〟を言語化したり、時には「そんなの無理」と諦めておられる部分も「そんなことないです！　御社にはこれだけの価値があるんです！」と私がその会社の方に、その会社の良いところを説得することもあります。そうやってとにかく同じ目線を向いて一緒に理想に向かって走っていけるようもてる力のすべてを使っています。その結果、「こんな素敵な人材が来てくれた」と喜んでいただくだけでなく、それをきっかけに企業様そのものが良い方向に大きく変わっていく様子を間近で見られるのは、ほかではできない経験です。

内定後に初めて担当させていただいた環境メンテナンスの企業の社長様は、「内定者がうちの仕事の魅力を学生に伝えられるのか不安だ」とおっしゃいました。実際に下水道や浄化槽のメンテナンスという言葉だけで良いイメージを学生からもたれないことも多くあるのだそうです。でもいろいろ聞いていくと、地球上に人間が利用可能な水資源はわずか0・01％しかないのですから、この会社がなければ、水の循環がストップして多くの人が水を使うことができなくなる。自分もこういう会社に支えられて生きているんだ。そんな、社会にとって不可欠の仕事であるという点を、わかりやすくアピールできないだろうか？　多くの人に知ってもらいたい！　私はそう強く思いました。現場へも伺ってメンテナンス作業を拝見したり、スタッフの方の胸の奥の想いを言葉にしてもらったり、それをもとにキャッチコピーは100本以上、ビジュアル資料も何十枚つくったかわかりません。

そして迎えた就職シーズンのスタート、集まった学生の数はなんと前年の7倍。その年までは中途の通年採用だったのですが、1年分の応募者を1日で軽く超えてしまいました。自分なりの理想が目の前で実を結ぶ幸せを強く感じるとともに、企業様にとっても、学生さんたちにも、そして何より私自身にとって「世界は変わる、変えられる」のを目の当たりにした瞬間でした。

＊　＊　＊

本質を守りながら、進化と成長を続けていく

新卒社員が多く、若い組織であるレガシードは、油断をすると礼儀が疎かになってしまったり、地味だけどお客様や会社にとって大切な業務がおざなりになったりしてしまうことがあります。そんな緩みを引き締めて、若くても、入社間もなくても、一人前の仕事ができるようメンバーの手綱を握るのが入社６年目の森田葵です。

彼女の新入社員時代の失敗エピソードは挙げればきりがありません。１００万円の振り込みを間違えて１０００万円振り込んでしまったり、助成金の申請が期日に間に合わなかったり、自分で企画したイベントでまったく集客ができず、現地にまで行って中止になったり……。そんな彼女が今やコンサルティング事業部の責任者として、多くの後輩を育成しています。レガシードにはさまざまな部署がありますが、ここ４，５年の間に入社した社員はほぼ全員一度は彼女のもとについて働いています。コンサルタントとしての基

礎を叩きこむ、登竜門のような存在です。

森田葵という女性を一言で表すのであれば、本人も自称している通り「THE・優等生」。とにかくしっかりしていて、やるべきことをきちんとやれる人です。レガシードは若いメンバーが多いだけでなく、突出した才能が目立つカリスマタイプの人材が多いことも特徴です。そんな組織の中で、社会人として当たり前のことを疎かにせず、その重要性をメンバーに伝えられる彼女の存在は、非常に大きなものです。「経費申請の期日すら守れなくて、お客様の納品期日を守れるの？」――そんな彼女の仕事に対する真面目な姿勢には、私も感心させられています。いろんなマネジャーがいる中で、社内では彼女のもとにつくことは「義務教育」と言われているそうです。彼女がいなければ、レガシードは土台が不安定な組織になっていたことでしょう。

コンサルタントとして働きだして間もない頃から、葵は「クレームを出さないコンサルタント」でした。何事も〝ちゃんとする〟ので、減点がほとんどないのです。コンサルタントとしての力量は未熟な面もあったかもしれませんが、彼女の仕事に対するまっすぐな姿勢をお客様は見てくださっていたのだと思います。

コンサルタント一年目、まだ何も教わっていない中で、彼女は急きょ7社もの担当をもつことになりました。社内がバタついていた時期で、全社員が全国を飛び回る中、頼れる人も少なく、かなり大変だったと思います。それでも彼女はほとんどクレームを出さず、7社すべてから翌年のリピートを受注していました。なぜこんな結果になったのか。1つは、先ほども述べたように、彼女が真面目で、ちゃんと仕事をする点が評価されたこと。そしてもう1つは、守破離の「守」を徹底したことにあるのではないかと思います。しっかりと教えてもらえるような社内環境が整備されていなかったからこそ、とにかく私のやり方を一言一句そのまま真似て、実践していました。型を守ったからこそ、1年目であってもやり切ることができたのだと思います。

彼女が取り入れた私のコンサルティングスタイルは、私自身の守破離で言えば「離」にあたります。それを真似て自分のものとした彼女にとって私のやり方は「守」です。さらに2年目、3年目にはコアの部分は残しつつも自分なりのアレンジを加え、破・離と自らのスタイルをつくっていきました。このやり方は、今の彼女の育成スタイルにもよく表れています。私や他のマネジャーの破や離から、本質を言語化し、「守」としてやるべきことにしっかりと体系化し、メンバーにやらせています。これにより、1年目からコンサルタントとしての基礎が身につくだけでなく、レガシードの中で守破離の連鎖が起こり、会社としてのコンサルティングの質がどんどん洗練されていくのを感じます。

急拡大の中でも骨太な組織をつくっていくために多大な貢献をしてくれている葵が、何を考えどのようにメンバーを育成しているのか。ここからは本人の言葉でお届けします。

* * *

マネジャー（入社7年目）　森田葵さん

お客様が本当に求めているのは何かを見極める

私はコンサルタントとしては、近藤と真逆のタイプです。カリスマ性がありお客様からも一目置かれる近藤に対して、私は親しみやすく、可愛がられやすいキャラクター。見た目からは幼くほんわかした印象をもたれやすいのですが、仕事をやらせるとバリバリやるし、めちゃくちゃ速い。そのギャップが、信頼関係を築く一歩目になっていると思います。

お客様と人間関係を築いていくうえでの私の強みは、「相手が何を言おうとしているのか、この場面で何を求められているのか」という言葉にならない本質をパッとつかめるところだと考えています。だからこそ、自己紹介ひとつでも、その場で求められているように変化させることができるし、どのような情報を出すべきかも感覚的にわかります。

自分にそんな能力があるのは、コンサルタントとして働き始めてから気づきました。せっかく発注してくださったお客様を悲しませたくないという想いを原動力に、お客様が求めていることに必死で応え続けました。

レガシードのコンサルティングは本質的で、徹底的にこだわるところが強みである一方で、時にお客様に合わせて柔軟な意思決定が求められる場面も多くあります。ある会社の採用支援を担当させていただいたときに、選考のワークの中で学生たちが悩んで止まってしまったときがありました。するとその社長が「おい！　みんな！　答えを教えるから集まれ！」と言って、急に学生たちを集合させてしまったんです。これはレガシードとしてはあり得ないことで、せっかく緻密に設計してきたものが崩れてしまうのです。おそらく先輩コンサルタントであれば急いで止めに行っていた場面だと思うのですが、私は「まぁ、レガシードのエッセンスが入っていればいいよね」と思いそのままにしました。その会社は社員規模が15名ほどのトップダウンの会社で、おそらくこの先も社長のキャラクターは変わりません。それであれば、その状態が心地よいと感じる人を採用したほうがいいはずだ、と考えたのです。次の日にも、学生たちが真剣に考えている場面では、社長が「がんばれ～！」と応援してお菓子を配っていました。（あぁ、またか……）と思うと同時に、（まぁ、この社長ならこれがいっか！）と頭を切り替えて好きにしてもらいました。あのときに採用した6名は今も定着しているので、きっとその場の判断は間違っていなかったのだと思っています。

「ちゃんとしたい」優等生タイプだから曲げられないこと

カリスマタイプの人もいるレガシードという会社にいながら、私は凡人で、それでいて負けず嫌いな、いわゆる優等生タイプです。テストは100点以外受け入れられず、99点のテストは自分で塗りつぶして100に変えていました。「1位でありたい、勝ちたい」その想いから、勝てる戦いを選んできました。大学では陸上をやっていましたが、選んだ競技は投てき。なぜなら100メートルや200メートルなどの王道の短距離種目ではどうしても1位を獲れそうになかったからです。競技人口の少ない投てきであれば、上を目指せると考えたのです。「勝ちたい」という気持ちと同じくらい、「ちゃんとしたい」という気持ちも子どものころからずっともっていました。

突出した才能やスキルで戦えない私は、レガシードに入ってからも減点をなくす動き方をしてきました。突出した何かで得るプラスよりも「できなくてはいけないことができない」ことのマイナスのほうが大きいと考えています。レガシードはできてすごいことを褒める文化の会社なので、あえてその組織の中での私の役割は「できなきゃいけないことを、できるようにする」ことだと捉えています。

先ほど、クライアントの社長の行動を止めなかったという話をしましたが、私の言う「ちゃんとしたい」というのは、納品物を型にはめて出すということではなく、人としてやるべきことをちゃんとやる、という意味です。あいさつをするとか、期日を守るとか、本当にそういう当たり前のところしかメンバーにも言っていません。

今でこそコンサルティング事業部のマネジャーをやらせてもらっていますが、初めから成果が出たわけではありませんでした。特にコンサルタント1年目は、せっかく担当させていただいたクライアント様でも思うような成果が残せませんでした。しかし、それでもなぜかすべてのお客様から再販の契約をいただいたのです。目標の達成ができなかったのにもう1年一緒にやってもらえるということが不思議であり、とてもうれしくもありました。なぜだ、と言われても正直私にもわかりません。ただ、当時から、お客様以上にお客様のことをとことん考えて動き回っていたので、その一生懸命さが伝わったのではないかなと思います。あるお客様からは「社外の森田さんがこんなに真剣にやっているのに、これで自分たちが真剣になれていなかったら恥ずかしい」という言葉をいただいたこともあります。

同じ頃に近藤から「葵はクレームを出さないよね」と言われたことがあります。私はお客様に嫌われたり、お客様を悲しませたりすることだけはしたくないと動いていたので、小さなお叱りはあったとしても大激怒まで発展することが少なかったのだと思います。例えば採用支援の現場に入る日は一日中つきっきりでほかのことはできません。そういう日はお客様からご連絡をいただいても対応ができないので、朝一番に担当しているすべてのお客様に対して、その日は対応が遅れる旨を連絡していました。こちらが先手を打っておくことで、返信や対応が遅れてしまっても、放置されているという気持ちにはさせなくて済むと考えたのです。

基本は、守破離の「守」から

「ちゃんとする」が大好きな私は、コンサルのあり方も最初は近藤の完璧な模倣から始めました。近藤の動画を何十回も見ているうちに、ほぼ一言一句間違えずに喋れるようになったり、アシスタントとして近藤について回り、そこでやっている伝え方を真似たりしていました。求人サイトに掲載する文章を初めて書くときは、近藤が書いた最高傑作と言われているものを引っ張り出してきて、動詞や名詞の並び、句読点の位置まですべて上書きして書きました。近藤の模倣もそうなのですが、それ以外の部分でも他人が言っていることをまるで自分の言葉かのように喋る力に長けているのだと思います。ほかの先輩がやっていることもどんどん取り入れて、自分のお客様に応用していました。

今も新しいことに出会ったら、模倣から入りますし、自分のメンバーや後輩たちには、まずは私ができることを真似してほしいと指導しています。その一方で近藤も日々進化しているので、いまだに数少ない近藤の納品に同行してその考え方やスキルを取り入れるということもやっています。

ここ数年、レガシードは急激に成長しているため、ややもすると守破離の「守」をちゃんとできないまま現場に立つようなことにもなってしまいかねません。だからこそ私のような人間が、しっかりと基礎基本の大切さを伝えていきたいと考えています。近藤や先輩たちの仕事から学んだことを体系化し、レガシードの「守」として後輩たちに伝えていくことで、いつしか彼らは私や近藤を超える逸材に育ってくれることだろうと期待しています。

＊　＊　＊

「近藤さんのもとではもうやっていけない！」というスタッフの心を支える

今、レガシードの組織基盤づくりに大きな貢献をしてくれているのが、経営企画・新規事業部マネジャーの喜井駿太です。今年30歳で、一般的にはこれから組織の中核を担っていく世代ですが、すでにその卓越したマネジメント力・コーチング力を発揮しています。

「近藤さんのもとでは、もうやっていけません。」――。創業まもない頃、そう言って社員が去っていったことがありました。当時の私は、経営者と社員の基準や意識の違いがどこから生じているかもよくわかっておらず、理想の追求なら「やって当然」だと思っていました。私の基準についてくることができないメンバーのフォローをする余裕もなく、むしろ「なんでこんなこともできないんだ?」と感情的に叱ってしまったこともあります。ただ、そこに対してこちらから何か働きかけをすることもなく、ついてこられないならそこまででいい、という気持ちが心の中にありました。今振り返ると、あのときのままでいたら、レガシードという組織はバラバラになってしまっていたかもしれません。

私はどちらかというと良くも悪くも感情を表してメンバーと接するタイプなのですが、喜井は愛情がありながらも合理的。突き放さず、迎合せず、メンバーが自然と頑張れるようにうまく導くことができるのです。もしかすると私一人がマネジメントしているままでは「ついていけない」と心が折れてしまっていたかもしれないメンバーも、喜井のおかげでずいぶんと救われてきた人もいることだと思います。メンバーから「喜井さんのチームに入りたい」という要望もよく出ます。そして、実際に彼のチームに入れると、ものすごくパフォーマンスが上がるのです。

「なんでそんなにうまくいくの?」と彼に聞いてみたことがあります。何か育成の秘訣を教えてもらおうと思っての質問でしたが、彼の第一声は「メンバーに恵まれているから」

でした。まずそのスタンスから始まっていることも、彼がメンバーや後輩たちから慕われる理由なのでしょう。

掘り下げて聞いていくと、彼のマネジメントのすごいところは、そのバランス感にあります。例えば、会社として求めるものと本人の意思のバランス。本人の意思が前提とは思いつつも、一方的に会社側の考えや要望を押し付ける上司も多い中、彼の場合は、本人の意思を尊重していたら、自然と本人が「やりたい」と思えるようになっているのです。また、合理と感情のバランスもあります。先ほど私は彼のことを合理的だと評しましたが、それも後天的に身につけたものだそうです。体育会系で長く学生時代を過ごし、チームを率いるという経験の中で、「感情だけをぶつけてもどうにもならない」ことを知っているからこそ、感情としてはAだと思っていても、合理的に考えてBという選択ができるのです。もともとは熱いハートをもっているので、メンバーを信じる、大切にするという根底の部分にはしっかり彼自身の感情が乗っています。

「喜井さんがいたから辞めなかった」という声も私の耳まで届くほど、レガシードという組織を守り育んでくれている人材です。そんな彼がどのように考えメンバーを育て、リーダーとして自分にしかできない価値を高めているのか、本人の言葉で語ってもらいます。

＊　＊　＊

マネジャー（入社６年目）　喜井駿太さん

責任と立場が人を変える

私の仕事の原点は大学時代に始めた予備校講師のアルバイトです。初めは、週６部活で週１アルバイト。正直言ってモチベーションもあまりなく、「一年ぐらいで辞めようかな」と考えていました。状況がガラリと変わったのは大学２年生になってから。私が予備校の校舎をまとめるリーダーになったのです。そこでは慣例として大学２年生のスタッフの中からリーダーを選出することになっていました。そのときも自分から手を挙げたわけではなく、仲間内で押し付け合っているうちに成り行きで決まりました。決してやる気のあるリーダーではなかった私ですが、全国の校舎リーダーが集まる研修に参加した際、そこで教えられた「責任と立場が人を変える」という言葉に、心臓をわしづかみにされたような衝撃を受けました。

（成り行きでついたリーダーという立場だけど、自分にも何かできるんじゃないか？）

そんな気持ちがムクムクと湧いてきて、研修の帰りにそのまま予備校の校舎に寄り、初めて「ＫＰＩシート」なるものを読んでみました。このシートは毎月本社から送られてくるもので、生徒が自学習をどれだけ進めているか、入学者数が増えているかといった指標が記されています。実はそれまで一度もちゃんと読んだことがなかったのですが、そのとき初めて、自分が受けもっている校舎がなんと全国で下から3番目に位置していることを知りました。「これってヤバイじゃん」という焦りと、この状況を打破したいという欲が一気に沸き起こりました。

「この一年間は、僕のワガママに付き合ってほしい。やるからには一番を獲りたい」――同期のメンバーにそう宣言し、そこからはアルバイトにコミットしました。ブックオフに行き、コーチングの本を読み漁り、そこで仕入れた情報をもとにひたすら実践↓検証を繰り返していきました。

ところが、壁はすぐに現れました。さまざまな施策のおかげで自分の受けもちの生徒はたしかに良くなっていましたが、校舎全体の数字にはさほど変化がなかったのです。私の校舎には200人の生徒がいて、複数の大学生スタッフがそれぞれグループを受けもっています。私だけが頑張って、私のグループだけが良くなっても意味がなく、校舎全体にインパクトを与えたいのであれば、スタッフを育成して自分と同じ考え方やメンタリティをもってもらわなくてはいけない、と気づいたのです。そこで皆で使えるツールを開発したり、スタッフの育成プログラムを考えたりと、注力するポイントを変えてみました。

結果、半年後には全国1位にまで駆け上がり、年間表彰もいただくことができました。その後も3年連続で1位を獲得しました。また全国のリーダーが集まる大会では、私たちの校舎での取り組みや育成施策をプレゼンし、そこでも優勝させていただきました。

自分の取り組みによって確実に進化していく組織を間近で見て、またそれを評価していただいたことで「自分のやってきたことは間違っていなかった」という強い自信が生まれました。それと同時に、人も組織もこんなにも変われるのだということを実感し、その可能性は無限大なのだと確信しました。ここで得た自信と確信が今も私の礎になっています。

一方で、大きな課題も残りました。リーダーを後輩に引き継ぎしばらくすると、その校舎は首位陥落してしまったのです。ツールや育成プログラムはちゃんと残してきたはずなのに、メンバーが変われば良くも悪くも組織は変化するという現実を目の当たりにすることになったのです。「永続的に発展する組織をつくるにはどうすればいいんだろう」——。予備校講師のアルバイト時代は私に確かな自信と、大きな問いを残しました。

情緒と合理のバランスを見極める

私がレガシードという会社に入社し、今も働き続けている理由の一つが「進化し続けているから」です。私がインターンとして参加した当時は、まだ社員も十数名。組織基盤も何も整っていない、小さな会社でした。そんな状況はおかまいなしに、近藤さんはいつもとてつもなく大きな目標を掲げます。創業3年目にはIPOを目指すという宣言もしていました。もちろん口で言うだけなら誰でもできるのですが、近藤さんはそれを本気でやろうとして、実現に向けて本気で取り組むのです。不思議なことに、進化し続ける近藤さんやレガシード、そしてそこで働くメンバーを見ていると雲の上のはるか上のような目標でも「ここならできる！」と思えたし、「このメンバーで実現したい！」と自分の願望として、一緒に理想を追い求めて走っていました。

実はインターンとして2年間もレガシードで働いていたにもかかわらず、私は新卒では別のコンサル会社に就職しました。「外の世界を知りたい」という気持ちで飛び出したのですが、外の世界で感じたのは、物足りなさでした。インターンとして参加していた2年間でも組織は大きく変わり、何より近藤さん自身も進化し続けていました。一度気づいてしまうと、あのヒリヒリするような目まぐるしい変化と進化の日々が恋しくて仕方なくなり、彼らと一緒に、当事者として理想の未来を実現するために働きたいという気持ちが強くなっていったのです。せっかく入社した会社でしたが「自分の居場所はここではない」と冷静に気づき、レガシードに戻りました。

私の行動は「無責任だ」とか「軽薄だ」とか思われても仕方ないと自覚しているのですが、近藤さんはそんな私にも多くのチャンスをくれました。「こういうことをやりたい」と伝えると「じゃあ、○○やってみたら?」と、採用コンサルティング、バックオフィス、新規事業の立ち上げ、経営企画などさまざまな部署を経験させてもらいました。おそらくレガシードの中で私が一番多くの部署を回っていると思います。

レガシードは近藤さんをはじめスペシャリスト型が多い組織ですが、私はどちらかといえばバランス型です。その特徴はマネジメントにも出ていると思います。メンバーと関わるときに大事にしているのは、その人が心の中で本当はどう思っているか、つまり本人の

WILLを知るという点です。本人がどうしたいか、どうありたいかを脇に置いて「一緒に頑張ろうぜ‼」と気持ちを奮い立たせようとしたり、行動計画を立ててあげたりしたところで、モチベーションが続くのはせいぜい数週間です。そうではなく、「君はどうしたいの？」と問いかけて、本音に立ち返り、その想いを握るということを大切にしています。

創業期のレガシードのように、とにかく行動優先で、走って走って、傷ついて……、その先で気づきや学びを得る成長のあり方ももちろんあります。「騙されたと思ってやってみてよ」と語る近藤さんの背中に惹かれて私も走ってきました。しかし目標が高ければ高いほど、当然ながら結果が出ずにつらい時期を経験することになります。中にはその途中で心が折れてしまう人もいます。それでもまた前を向いて進むためには、何よりも本人の「やりたい」という気持ちが大切なのです。

これまで離職の相談を受けることもありましたが、よく話を聞いていると、本人のやりたいことと会社の目指す未来がまったく違う、重なるところが1ミリもないなんてことはまずありませんでした。その人が自分でさえ気づいていない本当の想いを時に客観的に、時に寄り添って引き出していくと、辞めたいと相談に来たはずの人が、「もう少しここで頑張りたい」という気持ちになって戻っていくこともあります。私に人の決断を変える力はありませんが、迷っている人の気持ちを引き出し、整理して、また前を向いて頑張ろうと思える手助けをして、背中を押すことはできるのかなと思っています。

もっとも、そもそも「辞めたい」と思わないような環境をつくっていくこともマネジャーとして大事なことです。そこで重視しているのが情緒と合理のバランスです。年次が上がってくるにつれて、合理的で適切な判断をしがちになるのですが、メンバーたちからすれば、ただ業務のフィードバックを受けるだけでは面白くないはずです。そこで、未来へのワクワク感や自分の成長を感じてもらえるようなコミュニケーションを日頃からとることを意識しています。もともと器用に立ち振る舞えるタイプなので、手札を増やし、一人ひとりに寄り添ったあり方をその都度考えながら関わるようにしています。もちろん、本音で話し合ったはずなのに、結果的にうまくいかなかったこともあります。それはそれで仕方のないことだと思っています。人間誰しもつまずくし、迷うし、逃げてしまうこともあります。それでもまた、彼らに意思がある限り、一緒に理想を実現するための最大限の支援を、私はしていきたいです。

今回、ご紹介できなかった人材も含めて、今のレガシードではそれぞれの社員が自分なりの「超越」を見つけようと日々懸命に努力をしています。彼らが生み出す価値を目の当たりにするたび、「自分の分身を作ろうとしていた以前の考え方では、この価値は生まれなかったのかもしれない」と強く感じます。以前の私のままでは、きっと私は彼らの中に眠る「超越」の種を芽生えさせることができず、私と同じ基準、私が最善だと思えるやり方でできているかどうか、という点でしか評価できなかったことでしょう。

しかし今は、どんな人にも、必ずその人にしかない特別な価値があるということを私は知っています。たとえやり方が自分と違ったとしても、心から信じて任せることができるメンバーに囲まれ、レガシードとしてより大きな価値を生み出せているのは、本当の意味での「超超越」に気づけたからだと思います。

ここで紹介した4人のメンバーも、「まだまだ自分は超越の域には達していない」と感じているかもしれません。もちろん、私も、彼らはまだまだ進化すると確信しています。ここからは自分の価値をさらに磨き、レガシードという一つの会社を越えて、地球を舞台に自分たちにしかできない価値を存分に発揮してほしいと期待していますし、私もそのための環境づくりに取り組みたいと思います。

コラム② クライアントインタビュー

投票、合宿――驚きに満ちた新卒採用の提案

株式会社自然共生ホールディングス 代表取締役CEO 光本教秀さん

近藤さんと僕は年齢も同じで、前職のアチーブメント時代からの付き合いなんですが、とにかく初対面の印象が強烈でした。経営者になるための二代目修行で研修や講演はよく受けていましたが、地元岡山で近藤さんの講演を初めて聴いたときに心が騒ぐような衝撃が走りました。同い年として「何なんだこの凄い人?」と、感じました。

その後、社員研修を依頼しようと見積もりをお願いしたところ、その金額の高さに驚き、当時の社長だった父親に相談したところ、「その若さでこれだけの金額提示ができる人とは、今から縁をつないでおいた方がいい」と言われ、それ以来ずっと一緒に仕事をさせてもらっています。

当時、中途採用しかしておらず、新卒採用ということになるとまったくブラックボックスで、他社さんが何をどうやっているかはほとんど知りませんでした。であれば、それをコアのビジネスモデルにしようという、近藤さんの考えは非常に新しいんじゃないかと思っていました。僕の予感は見事に的中。ご本人がレガシードを立ち上げたのちに新卒採用のコンサルティングをお願いすると、これが実にユニークな方法でした。

特に驚いたのは、採用にあたって最後の最後に社員全員で投票をするという提案。それまでは僕が最終決定していたんですが、それで採用した人が2日目には来なくなるということもあり、「僕の目は節穴か?」とへこんでいたときに提案されました。全員で投票することにより社員すべてに「彼、彼女を育てよう!」という意識が芽生えました。

ほかにも、それまではわずかな時間の面接で合否を決めていたのに、「時間をかけて、素の部分を見る機会をつくった方がいい」と、宿泊型の採用を取り入れるなど、こちらの常識をくつがえす提案を次々にいただきました。新卒採用がデフォルトになってからは、そうした場に入社2年目のスタッフも巻き込んだり、選考と育成がシームレスというまったく新しいスタイルが確立しているのは、レガシードの力なしでは絶対にあり得ませんでしたね。

新卒採用を契機に事業体が一気に多様化

毎年、核になる人材を採用できるようになると、会社は当然、活気にあふれて、ビジネスの幅もどんどん広がっていきます。

特にウチと同じ中小規模の会社の社長さんの場合、ややもすると「新卒なんて来てくれるはずがない」と諦めがちですが、それは思い込みです。僕の知っている話でも、四国のある墓石会社さんに初めて新卒の女性社員が入社したところ、生前墓という画期的な営業プランをつくり、非常に大きなビジネスにしたという事例があります。社長以下全員がいい意味で自分たちの〝常識〟を壊された、と感心させられたそうです。

弊社も、もともとエステや保健事業を中心に3事業を展開していましたが、新卒の社員からワクワクするような提案がどんどん出されるようになり、今は保育園やおもちゃのレンタル、結婚相談所、オーダースーツ、それにキャンピングビジネスまで全部で8つもの事業を行っています。もちろん、最初からすべてが順調というわけにはいきませんが、採用段階から社内の風通しが良くなっていることもあり、新人の発想に先輩たちが知恵を貸すなど、着実にいい方向へ進んでいるのを実感します。

エステ産業のように現場の労働集約的なスタイルの事業の場合、他社では毎年の新卒採用というのはあまり例がないかもしれません。弊社でも以前は中途採用だけだったのですが、入社のタイミングがまちまちなこともあって、研修や育成が十分にできないのを残念に思っていました。レガシードの協力を得て新卒採用にも挑戦したことで、いつまでにどれくらいの目標で成長させるというプログラムが立てやすくなり、それも年を重ねるごとに短期に効率よく行えるようになりました。女性の多い会社でもあり、結婚や出産といったライフイベントを計画しやすいという点も、社員、会社両方のハッピーにつながっていると思います。

レガシードの魅力は、若さと多様性、そして速さ

僕は創業期からレガシードとお付き合いがあるので、社員の皆さんのことも初期の頃から知っています。レガシードといえば近藤さんの熱量に目がいきがちですが、社員の皆さんの成長こそがこの会社のすごさでもあると思います。たった一年、二年でこんなに成長できるものなのかと感心し、私たちも同じように成長していきたいと考えています。

ビジネスパートナーから見た場合、レガシードは会社全体が若々しく、それでいて社員の責任感や提案力、実行力などはびっくりするくらい高いんです。1年目のスタッフでも何千万単位の案件を任されて、それに押しつぶされるどころか、かえってファイトを燃やして取り組んでいるのを見ると、こちらまで夢がふくらんできます。トップにいる近藤さんがいい意味で〝ぶっ飛んで〟いるせいか、数十人の会社でありながら、会う人、会う人、一人として同じタイプがいないというのも、ナチュラルにダイバーシティができているという点で、とても魅力的だと思います。

それと、これは近藤さん自身を見ていて何より強く感じるんですが、レガシードという会社はとにかくスピードが速いんです。会って話をして、「こういうサービスがあったらいいよね」と何の気なしに口にすると、次に来るときにはもう具体的なスキームに仕上げてきます。その圧倒的なスピードには舌を巻きます。その意味で、こちらも「お客様」という姿勢ではなく、常に学ばせてもらっていると思っています。単にコンサルティングをされて、はい終わりという関係ではなく、互いに相手を刺激しつつ一緒に世の中を良くしていける――そんなつながりを、これからも大切にしたいと考えています。

コラム③　クライアントインタビュー

「掃除会社」という思い込みが揺らいだ瞬間

株式会社タカジョウグループ　代表取締役　長井正樹さん

我々タカジョウグループでは、ビルメンテナンスや、福祉用具、介護ベッドのレンタル事業、また障がい者の就労支援事業などを行っています。レガシードとの付き合いは2016年からになりますが、ちょうどその頃、知人の経営者との話のなかで「これからは新卒採用が、企業の将来を左右するネックになってくるね」という話題が出たんです。その時に参加者の一人が「うちはレガシードっていう会社の採用の仕組みを取り入れたんだけど、とにかく選考にかける時間がすごい」という話をしていて興味をもったのがきっかけです。そこですぐ、ホームページから問い合わせたら、田中美帆さんの名前で「先日はお世話になりました」というメールをいただきました。何だろうと思ったら、僕が主催していたある勉強会に田中さんが来てくれていたというんですね。めぐり会いというか、あまりのタイミングの良さに「これはもう運命だ」と、即決でコンサルティングをお願いしました。

以前から先輩経営者の皆さんに新卒採用のメリットも聞かされていましたし、実際に何度か採用を試みたこともあるんですが、せっかく入ってもすぐに辞めてしまい、結局は知り合いのツテを頼って中途採用をするしかなかったのが当時の状況です。そもそも会社の規模が小さいし、業種も「掃除会社」ということで、はっきり言って人気はありません。働いている自分たち自身もなんとなく肩身の狭い思いでいましたから、若い人が来てくれるはずもない、そんな気持ちがあったのは事実です。

それがレガシードとミーティングをしてみると、社長の近藤さんが開口一番「業種に関係なく、社長や会社の理念に共感して『入りたい』と思ってくれる学生が必ず来ます」と真っすぐこちらの目を見て断言してくれました。心の底ではもちろん「自分たちがやっているのは、社会に不可欠な素晴らしい仕事なんだ」と思っていましたが、世間では陰に隠れた仕事の一つで、決して評価が高い業種ではありません。しかし近藤さんの話を聞き「もし、心から一緒に働きたいと思ってくれる新卒の人がいるなら出会いたい！」という気持ちがムクムクと湧いてきました。

〝生きがいクリエイター〟の言葉に涙ぐむ

いよいよ実際に新卒採用を導入する段階に入り、近藤さんと営業担当のスタッフと弊社の幹部が会議をしたのですが、その段階では僕を除いたうちの社員ほぼ全員が「うちみたいな掃除の仕事に、新卒がきてくれるなんてあり得ない」と思っていたようです。それに対して近藤さんたちは「とにかく一緒に企画しましょう！」と熱意をもって声をかけ続けてくれました。採用ということで求人票を書くためのインタビューでも始めるのかと思いきや、最初の取り組みは「僕たちのやっている仕事の〝本質〟って何だろう？」という全社員を巻き込んだワークでした。

全員で議論を進めていくなか、ぽつりぽつりと社員の本音が聞こえ、彼らがどのような思い・誇りをもって働いているのかを初めて知る機会になりました。対話を重ねる中で、私も含めて社員たちも「自分たちの仕事は素晴らしいことなのだ」「本当に世の中の役に立っているのだ」と気づき始めました。単にお年寄りが集まって町を掃除したり、トイレをきれいにしたり、車椅子や介護ベッドのレンタルをしたり……それはあくまで表面的なことで、自分たちがつくり出しているのは「高齢の方、障がいのある方、いろいろな人に〝生きがい〟を与えること」じゃないか、という本質にたどり着きました。それをさらに、みんなで突き詰めていった先に「生きがいをつくる〝生きがいクリエイター〟として一緒に働きましょう」というコンセプトが生まれました。その時には僕自身、自然に涙ぐんでいたのを覚えています。

新卒採用についての話し合いで、まさかそんなことになるとは思いませんでしたね。自分たちの本当の想いってなんだろう、社長である私が創りたい世界ってなんだろうと真剣に考え、一緒にその世界を創りたいと思う仲間が集まっているのだと、マインドに大きな変化がありました。ここで気づいた想いは、私がいなくなってもきっと引き継がれていくと信じています。

会社の未来を共創する、それがレガシード流

近藤さんをはじめ、レガシードの皆さんのやり方は、コンサルティング会社による一方的な提案の押し付けとはまったく違いました。先ほどのミーティングにしても、事前にうちのことを徹底的にリサーチしていました。それこそ新卒社員のように若い営業担当の人が、僕たち以上に「タカジョウグループ」について知っていて、さらにそこからより深く知ろうとしているのには驚かされました。

いよいよ具体的な採用プロセスの設計に移ってからも、彼女はしょっちゅう会社へ来てくれて、社員一人ひとりにインタビューをしたり、時にはボランティアで一緒にお掃除をしてくれたり、そこまでやってくれるのを見て「ああ、この人は僕たちがつくりたい世界を、一緒につくろうとしてくれているんだな」としみじみ実感しましたね。

そうした熱意がうちの社員に伝わるのは自然の成り行きで、社内でも少しずつですが新卒採用に前向きな雰囲気が漂うようになりました。レガシード側もそれを上手に汲みとって、新卒向けに最も効果のあるマーケティングと求人広告の配信をしてくれた結果、その年の合同会社説明会ではうちのブースに驚くほど学生さんが集まりました。せいぜい数名だろうと思っていたのに、全体でもトップクラスの人気ぶりを示すことになったんです。

選考にあたっても、大切にしたのは業績や業態、さまざまな条件ではなく、まずは「何のために働くか?」という点でした。とにかく採用段階から「育てる」姿勢を大切に、インターンシップで実際の仕事を社員と共に体験してもらいました。これは学生の育成という観点はもちろんですが、そうすることがまた社員にも貴重な経験になって「ちゃんと育成しないと」という気持ちを生んでくれました。本人自身に「この会社で働きたい」という納得を持たせるような採用プロセスを構築するというのがレガシードからの提案であり、いわゆる一方通行型の「儀式」的な採用とはまるで違う、いわばこれからの会社を両者が共に創っていく――そんなあり方だった気がしています。

新卒採用を通じ、会社が、社員が、自分が変わった

こうして初年度は、最終的に450人の応募から9人の採用を決めました。これだけでも私としては万々歳の成果でしたが、その後の社内の変化にも驚かされました。「この会社で働きたい」と心から願う数多くの人のなかから選ばれただけに、採用された新入社員たちは気構えが違いました。レガシードの提案で開催した内定式では、内定者たちが涙まじりに「皆さんと一緒に働けてうれしい」と社員に駆け寄ってくるほどで、そうしたエネルギーは受け入れる社員側にも伝わらずにはおきません。

自分たちは「負け組」なんかじゃない。ウチの会社は社会にとってなくてはならない存在で、だからお客様に選ばれているんだと確信をもち、日々の仕事に新鮮かつ真剣に取り組む姿勢が自然に生まれてきました。目標に対する考え方も大きく変わりました。今までは例えば収益のこと

とか、ボーナスのこととか、目の前のことしか考えられなかったのですが、「自分たちが創りたいと思っている世界を、本当に創る」、そういう会社にしていきたいと未来に目を向けるようになったんです。

なかでも一番大きく変わったのは、ほかでもない僕自身じゃないでしょうか。当時は40代半ばで、社員も自分と同じか、若くても30代くらいでした。正直、「このままこぢんまり、仲良くやっていけばいい」と思っていたのが、毎年若い新卒社員が入ってくれるようになって、そうも言っていられなくなりました。自分が一線から身を引いた時点で、彼らはまさに働き盛りですし、自分の気ままではなく、社会にちゃんと残る会社にしていかなければいけない、と覚悟が芽生えました。

そんなふうに会社全体、社員みんなの発想や思考が変わると、業績も目に見えて上がってくるから面白いものです。最初に入った新卒の社員は、そろそろ幹部も間近というタイミングです。この6年間、業績は右肩上がり。さらに、計画的にマンパワーが増えたおかげで新事業への進出も着々と行えています。

不満があるとすれば、なぜもっと早く近藤さんやレガシードと出会い、今のような新卒採用をやれなかったかということです。実際、レガシードと関わりをもてたおかげで、人間の成長や可能性を間近に体験し、この歳になっても仕事を通じて〝感動で涙する人生〟を送れるのは素晴らしいことだと思っています。ベンチャーでかっこよく稼いでいる人だけでなく、地域の中小企業の成熟産業、人気とは遠い業種でも輝ける瞬間はいくらでもある――私たちはそのことを、レガシードと一緒に歩むことではっきりと確かめることができました。

第5章

「超超越」のその先へ

最大の危機、パンデミック

創業から10年近くが経過するなか、周囲から見て順調に業績を伸ばし、発展を遂げてきたかに見えるかもしれないレガシードですが、当然、厳しい状況に直面した時期もありました。創業当初のピンチの話はこれまでにも何度か触れていますが、最近で特に乗り越える必要があったのは2020年初頭から世界中を覆ったCOVID-19によるパンデミックの影響です。

そもそも、私たちコンサルティング業というのは、お客様である企業様をはじめ、人に会うことから始まると言ってもいいビジネスです。特にレガシードの場合、人材採用という分野を主軸にしているだけに、対面そのものが制限される事態は業務全体に深刻な影響を与えました。時期的にも、1月からは翌年の採用へ向けた合同説明会が盛んに開かれるタイミングで、それが次々に延期や中止に追い込まれ、私も年明けの段階から「これはかなりキツいことになるぞ」と強い危機感を覚えました。

危機に立ち向かうべく第一に導入したのは、今では常識となっているオンラインによる説明会や選考会、インターンシップの実施です。まだほとんどの企業様が「オンラインって、何？　どうやるの？」という時期から動き出しました。特にワークショップなどの体験型のプログラムをオンラインで可能にしたのは業界でも先取りだったと思います。ただ、オンライン化を支援するサービスだけでは、売上減少分を十分にカバーするには至りませんでした。何か新しい策が必要でした。

「これは、オンラインだけでは乗り越えられない」

そこで、打って出たのがマスクの販売でした。きっかけは経営者の友人からの相談。彼はノベルティなどのグッズを作っている会社を経営しており、その会社では中国に自社工場を持っていました。その当時は世界中でマスクの需要が急激に高まっている時期で、彼はその工場でマスクを製造できるかもと思いついたそうです。できるにはできるが、3億円ほどのまとまった設備投資が必要だということが判明。そんな大金をポンと出せるような状況ではありませんでしたが、一方でのんびりと銀行の融資を待っている余裕もありません。あの時点でのマスクは一種の投機物資になっていましたから、ほんの半月も時期がずれるとまったく状況が変わってしまいます。そんな話を耳にして「それならうちが貸しますよ」と即座に2億円を出しました。

超速での製造販売。その会社は大きな利益を上げ、私たちも投資した分はすぐに回収することができました。以後は長期化の兆しの見えるマスク需要に応じ、その名も「レガマスク」の直接販売を経理・総務などバックヤードのスタッフで展開することとしました。約2カ月という短期間に1億円もの売上をつくることができました。この成功は利益（お金）という面はもちろん、社内の心理的な不安を取り除くという部分に大きく貢献したと思います。

メンバーたちは、パンデミックの影響で、会社の先行きがどうなるかが予測できず、さらに自分や家族が感染して万一の事態になる恐怖もあったことでしょう。そんななか、ふだんはもっぱらサポート役に徹しているバックヤードのみんなが大きなビジネスを成し遂げた、というニュースは、目に見えないストレスを抱えていたスタッフに勇気と元気を与えてくれ、それをきっかけに社内は一気に明るくなりました。そうした様子を見るにつけ、この時ばかりは、不安のなかで2億円もの投資という思い切った意思決定をして良かったとつくづく感じたものです。

コロナ禍では、このほかにもさまざまな取り組みに挑戦しました。ＹｏｕＴｕｂｅに動画を公開し、コロナ禍で日常の業務の対応にさえ困窮している会社の方たちを元気づけられるような発信をしたり、オフラインでの合同説明会の代わりに学生さんと企業様のマッチングを行う独自のイベント「キャリフェス」を仕掛けたりもしました。どれもすぐに売上に直結しないかもしれないけれど、やれる限りのことは徹底して行い、たとえ状況が悪いからと言って、ただ嵐が通り過ぎるのを待つようなことはしないつもりでした。ＹｏｕＴｕｂｅは今も続けており、チャンネル登録者数は一万人を超えました。左のＱＲコードから公式ＹｏｕＴｕｂｅチャンネルがご覧いただけます。最近は特に組織づくりのノウハウに力を入れて発信をしていますので、ぜひ経営者やマネジャーの方々にご視聴いただきたいと思います。

社長のための組織づくりの
ノウハウが凝縮

Legaseed 公式
YouTube チャンネルは
こちら

死んだ父の年齢を超え、意識せざるを得ない自身の〝死〟

私も今や、43歳。父が癌になったのは40歳、亡くなったのは45歳。だからこそ最近は否応なく自らの〝死〟について考えざるを得なくなりました。父のこともあり、健康については強く意識してきました。今は健診などで異常は認められていないものの、人間である以上は予想もしない事故などで命を落とすことも考えなければいけません。

自らの死がリアリティをもって迫ってくるなか、気がかりは私が死んだ後のレガシードという会社のことでした。これまで自らにしかできない価値＝超越を携えて会社を起こし、自分とは違う超越をもったメンバーと出会うことで超超越を実現し、レガシードという会社は世界にたった一つの会社になりました。しかし、超超越のレベルは、あくまでも私がその場に仲間と共にいることが前提です。そうではなく、これからは自分がいなくなった後も進化し続け、周囲に幸せの連鎖を起こせるような組織をつくっていきたいと強く考えるようになりました。

これまで読んできた経営に関する多くの本には、社長の仕事の第一は判断して「決定」することと書かれていました。私もそう信じて経営を続けてきたのですが、自分の死を前提にしたとき、考えは180度変わりました。自分が永遠に生き続けるのが前提ならば、確かに「決定」という仕事が重要であり、それによって会社をどこまで伸ばせるかが問われます。しかし、その先を見据えるのであれば、社長である私がいかに「決定しないか」を考えていかなくてはいけません。

「これからの自分の仕事は『決定』ではなく、『委譲』し『育成』することだ」

そう思いあたり、今の会社のあり方を根本的に見直すことにしました。経営におけるミッション・ビジョンを実現するためには「事業」と「組織」という両輪が必要です。「事業」とは営利を目的とした生産やサービスなどの具体的な経済活動のことであり、「組織」とは共通の目的・目標を達成するために何らかの手段で集まった人々が、意思疎通を通じて協働する集合体のことと考えてもらえればいいでしょう。

このうち「事業」に関しては、5年ほど前から自分でも強く意識をして〝脱・近藤化〟へ向かおうと変革をしてきました。現場のコンサルティングには手を出さず、個々のスタッフが力を発揮できる環境をつくってきました。おかげで、現在は私がコンサルタントとして前線に出なくても、レガシード基準のクオリティでサービス提供ができるようになりました。もはや今や、採用コンサルタントとして私を超えようとする人材もでてきています。

一方の「組織」という面では、正直なところ社長である私への依存度が極めて高く、意思決定の場にメンバーが参加することはほとんどありませんでした。いわゆる典型的なトップダウンのままでした。

「事業だけでなく組織まで含めて、両輪を社員主導にしないと、自分が死んだあとこの会社は永続的に発展しない」

とはいえ、トップダウンがだめなら、ボトムアップか、というそんな単純な話でもありません。まずは、それぞれのメリットとデメリットを自分なりに比較検討してみました。トップダウン型は瞬発的に物事を動かすスピードが速いものの、社長にそれだけの能力がないと難しい。他方、ボトムアップは主体性のあるメンバーが育ち、現場のリアルな状況が反映されやすい半面、権限を委譲されたメンバーの側にしっかり意思決定できる能力がないと、うまくいきません。

そうした前提に立ち、レガシードという会社を冷静に見つめてみました。レガシードは数年以内のＩＰＯを目指していますが、ただ上場すればいいとは考えていません。

・お客様へのインパクトや社会課題解決の面（Impact）
・会社の生産性や収益（Performance）
・社員の働きがい（Happiness）

この3つをつくるＩＰＨという視点を重視しています。この3つを高めていった結果、ＩＰＯを達成するというのが理想的な流れです。

そう考えたとき、これまでのレガシード＝近藤悦康というあり方ではなく、社員参画によって実現するより自律的で民主的な組織にしていく必要を強く感じました。私なりの定義では、メンバーが期待する環境と、会社が提供する環境のギャップがない、あるいは少ない会社こそが「いい会社」です。それならば、社員で考えてつくり出していったほうが「いい会社」になりやすいのではないかと気づき、

「レガシードを『いい会社』にするために組織のあり方を根本から変えていこう！」

と私は強く決意したのです。

自らのエゴを認め、メンバーに伝えた「8つの反省」

私はこれまでの組織体制や権限、制度や運用マネジメントを大変革し、対話を重視することにより、自分たちで会社を形成している実感のある組織を実現する、という方向に舵を切りました。ひらたく言えば「みんなが誇れる良い組織をつくる」ということです。この2年の間に正社員数は最多の70人からやや引き締まって、約50人になっています。人数は減りましたが、私が考えるダイナミックな組織の進化にも十分応えられるメンバーが残ったという実感もあり、この精強なスタッフに向けて2022年8月1日、月初会議の席上で近藤悦康としての「8つの反省」という、思い切った発表をしました。

その内容については後で詳しく書きますが、まずは今回の「反省」へとつながる15年ほど前のほろ苦い思い出について触れておかなければなりません。前職時代、27歳の頃です。リーダーとしても、コンサルタントとしても、強烈に成長を実感していたいわば絶頂期で、この本にも証言を寄せてくれた山川さん、高田さん、河合さん、成瀬さんたちとチームを組んで、会社員でありながらもまるで〝治外法権〟のように自分流で勢いよく仕事をしていました。

とにかく自分自身にも、自分が率いているチームにも絶対の自信がありました。それがある時、山川さんが「近藤さんとはやってられません！」と涙を流して専務（青木社長の奥様）に直談判をしたことで、私は専務から呼び出しを受けました。

「近ちゃんね、自分のために仕事をしているから、メンバーがついてこないし、疲弊しちゃうんじゃない？」とズバリ言われてしまったのです。

正直、カーッと頭に血が上りました。

「僕は自分のために仕事なんてしていないし、朝から晩まですべての時間を会社やお客様

のためにつぎ込んで結果を出すためにやりきっている！」

当時は、仕事に一心不乱でしたので、専務の言葉は「心外」以外のなにものでもありませんでした。結局、その時の怒りの感情はきちんと処理されることなく、その後も長く記憶の底に保存されたまま、ずっと燻りつづけていた気がします。

それが、最近になりパートナーの田中美帆からの指摘を受け、ハッとさせられるとともに、当時のことを不意に思い出したのです。彼女からのメッセージは、週末に家族で出かけた旅行に関する苦言でした。

「急いでいろんなことをしてくれようとしているのはわかるけれど、それが逆にセカセカ感じて嫌。家族のための良かれと思っての発言なのもわかるけれど、あれをやれ、これをやれという指示も多いし、自分のペースが乱される。お店に行ったとき対応がイマイチな店員さんに対してきつく当たるのもやめてほしい」

私は、旅行の時も自分でスケジュールを立て、行程をほぼすべて自分で決めようとしていました。それも最短で、家族にとって一番満足度の高い動きをしようとしていました。

最短で最高の結果を出したいと、単位を取りまくっていた大学生の頃と同じ考え方です。そこには、自分が決めたほうが良い選択になるという驕りもどこかにありました。もちろん家族もそのほうが喜んでくれると思ってそのようにしていたつもりですが、当の妻は私のそのやり方に不満を感じていたようです。

痛い指摘ではありましたが、今回は以前と違い、不思議に怒りの気持ちが湧いてきませんでした。中でも強く刺さったのは「良かれと思ってやってくれている」「家族のためにやってくれているのはわかる」という二つの言葉です。妻の理解のおかげで、瞬間的に15年越しの苦い思いが一気に氷塊していきました。

山川さんが涙をこぼして訴え、専務が忠告してくれた。あの時も私の中の動機は完全に〝善〟であり、社会のため、会社のため、仲間の成長のためでした。自分が「絶対にこれがいい」と思ったプランをつくり、思い通りに周りに強いていくうちに「結局、近藤さんのやりたいようにやってる」と受け取られてしまっていたことを、素直に理解できた瞬間でした。ありがたいことに山川さんはじめ、当時のみんなもそのことはわかってくれていたし、今に至るまでプラスに解釈してくれてはいるけれど、そういう状況は間違いなくあったはずで、それに気づいていなかったのは誰よりも当の私自身だったとわかり、急に恥ずかしくなりました。

そうして日頃の自分を振り返ってみると、山川さんや妻を苦しめたのと同じような言動、行為が社内でも繰り返されていることが見えてきたのです。

「エゴは捨てよう」

ここで痛感したその思いを共有するために、自分として真摯な気持ちで綴ったのが、「8つの反省」でした。

反省① 信頼（TRUST）ではなく信用（CREDIT）で人を判断していた

目の前の人について判断をするときは、信頼と信用の二つの基準があります。信用（CREDIT）というのは、クレジットカードに代表される視点で、もっぱら過去の結果からその人の能力を判断するもの。それに対し、信頼（TRUST）はその人の未来に対して自らが相手にすることで、この二つには大きな違いがあります。

例えば銀行の融資は信用の面が重視されます。いくら未来に希望のある事業計画でも現状が赤字続きでは、お金を貸してくれません。一方、投資家の場合は信頼が大切で、過去に黒字でも未来にワクワクするものがないと投資はしてくれないものです。逆に今は何もない状態であったとしても、「こいつの未来には期待できる！」と思えば巨額を投資する人もいます。

私はもちろん両方の視点を持ち合わせているつもりだったのですが、自社のスタッフを見る際に信用という点に偏りがちだったと気づき、反省しました。

どれだけ結果を出しているのか、どれだけやっているのかという、過去と現状にばかり意識が向いて、その人の可能性を引き出したり、信じ抜いたりするところが弱かったと今なら思えます。ミスをした場合、それが自分の子どもならば未来の成長を信じて、赦すことができるはずなのに、メンバーに対しては、そんな思いになれないこともありました。

反省② 合意・コミットをとりつけて、それで満足して怠慢になっていた

目標を設定してメンバーに指示を出し、相手が「わかりました」「やります」と言うのを聞けば、私の役目はそこで終わりだと満足して気が抜けている自分がいました。

辞書で改めて「合意」という言葉を引いてみると、「お互いに意見、意味合いを合わせていく」と書かれており、その本当の意味に立つならば、相手がコミットした場合はこちらもそれにコミットしなければいけません。当然、目標達成のためには、当のメンバーだけでなく、私も同じくらい協力したり、応援したり、フォローをしなければならないのに、これまでの自分はそれができていませんでした。メンバーの目標に関しても、「自分で設定した数字目標なんだからやれよ！」と、メンバーが決めたことに甘え、達成のためのフォローができていなかったと反省しました。

反省③ 社員を大人として扱えていなかった

これはほとんどの会社にも当てはまると思いますが、そこに働くメンバーたちは誰ひと

りとして、自分の会社をマイナスにしたいなどと思ってはいません。クレームが起こるように仕向けたり、自社の商品がなるべく売れないようにしたり、会社を赤字にして社長や仲間を困らせてやろうとしたり――そんなことを考えているわけではありません。

少しでもお客様に満足していただき、一人でも多くの人にレガシードという会社を知ってもらいたい、と全員が心に思っているわけで、スタッフは皆がそれぞれに大人なのです。

にもかかわらず、私をはじめ経営者や管理職というのは、会社において自分が親であり、メンバーはみんな子ども（無責任・感情的で責任転嫁する生きものという前提）だというメンタルモデルを抱きがちです。だからこそ、すべては自分が決めたほうがいいと錯覚してしまうのです。仮に能力や経験の面では及ばないとしても、意識においては誰もが大人であり、相手の良識に信頼をもって関わることが、未来の可能性へとつながるはずだ、ということに今さらながら気づいたのです。

反省④　結局、近藤さんが決めるでしょ

レガシードのオフィスには、役員たちが集まって意思決定をする、通称〝コックピッ

ト〟と呼ばれる部屋があります。ところがある日、役員の一人に「会社の決めごとはコックピットではなく近藤家の食卓で決まっている（笑）」と言われ、ギクッとさせられました。社長である私。そしてパートナーの田中美帆も役員です。自分が誰よりも情報をもって、経験もあり、会社のことをジャッジするなら自分が一番正解に近いはず、という認識があったのは事実です。

しかし、振り返れば、私の決定が必ずしも正しいとは限りません。M&Aを行ったときにも、のれんが重しとなり、メインバンクから格付けを下げられ、全銀行から融資が得られなくなり、会社のピンチを招いたこともあります。冷静に考えればそうした判断ミスの多くは、ある程度まで予想がつくはずのことです。私以外の専門的な知見をもったメンバーや、現場感覚のあるスタッフの方がベターな意思決定ができる可能性が高いと今なら言えます。

松下幸之助さんの言葉に「衆知の経営」というのがあります。一人ひとりの意見の総和を重視する民主主義の決定が結局は最良の意思決定かもしれない。ただ、経営者としては他の誰かに委任をすると稚拙なジャッジになるのではないか、という点が不安なのも事実であり、そのことは誤った権限委譲がもとで崩壊した会社の存在が証明しています。

結局どういうカタチが最適なのかが決めきれずにいたとき、ふと気づいたことがあります。それは、自分が何かを決定する際、その基準となった情報や経験をメンバーにきちんと伝えていなかったということです。せいぜい「みんなの意見を寄せてもらったうえで、こういうふうに決めました」と発表するばかりで、決定の背景や試行錯誤のプロセスまでは十分に共有していたとは言えません。最も重要なコミュニケーションをさぼっていたな、と反省するところです。

正しい権限の委譲というのは、そのプロセスの部分こそをちゃんと伝えることが前提です。自分なりに「こう考える」という意見を情報として投げたうえで、大人であるみんなに決めてもらうことに意味があります。その結果、もし間違えたのであれば、また自分たちで変えるという手続きを積み重ねることにより、意思決定の精度はおのずと上がっていくはずです。そこで自分だけが見えている数字データ、自分だけが知っているノウハウや情報、自分だけが体験している実話をオープンにすることから始める宣言をしました。

反省⑤　わかりやすい粗利に執着

これまで、レガシードの評価では何よりも粗利を重視してきました。私は覚えていないのですが、「自分が社長の代で、評価を粗利以外にすることはない！」と言い切っていたそうです（笑）。

自分のこだわりに対して疑問を抱いたのは、ある研修の場に立ち会った際のことでした。そこでは、チームで一つの答えを出すというワークを行っていました。一人ひとりが講師のところへ行き、自分たちのアウトプットを説明し、それが全員一致して初めて完了となります。あるチームを見ていると、なかの一人がディスカッションの途中で実にいいアイデアを出し、ほかのメンバーをおおいに啓発してくれていました。しかしその人自身は、緊張のせいか講師に対する説明が上手ではなく、チームもなかなか合格になりません。結果、完了までにかなり時間がかかることになりました。私は途中経過を見ていたので、もしもその人がいいアイデアを出さなければ、チームとしてはもっと時間がかかっただろうな、と思いました。

そしてそれと同時に「これって、日常の仕事でもあるなぁ」と、感じたのです。粗利というのは目に見えて評価しやすい基準には違いありません。しかし現実には、評価すべきなのに目に見えない点がいくらでもあるはずです。それを汲み取り、正当に判断していなかった自分に気がつき、制度を変えていく必要があると思いました。

「粗利以外にすることはない！」と言い切っていたそうですが、既存の給与体系に別の評価軸を盛り込み、それも自分で申告したり、年度の途中での修正をしたりできるように変更したいと伝えました。最終的には、給料をオープンにしてもみんなが納得できるものへ、さらに進化させていくつもりです。

反省⑥　ルールにペナルティ感やMUST感

組織をつくるうえで、「やること」と「やってはいけないこと」をはっきりさせるのはもちろん大切なことです。しかし、先ほども書いたように、会社を悪くしようと思って行動するメンバーはひとりもいません。私自身、もともと束縛されるようなルールは嫌いですし、メンバー一人ひとりが主体的に意思決定するためのルールや規則をつくっていたつもりでした。それでもどこかに信じきれないメンタルモデル（固定観念）があったのでしょう。

例えば、日報を出さないと賞与で提出率に基づいた査定をするなど、ルールに対するペナルティ感が拭えませんでした。もしかしたら、その人には日報を書くよりもずっと大事なことがあって、そちらを優先したかもしれない。一方で、やはりさぼって書かないというケースもあり得ます。ここで大切なのは、日報そのものの目的です。日報は自分自身でPDCAを回して、今日やろうとしていたこと、明日以降やる必要のあることを考えるためのツールです。またそれを上司が見て、次のアドバイスや、指示、支援につなげていくためのそのコミュニケーションにこそ一番の価値があります。何を隠そう私自身にその視点が抜けていました。

提出したかどうかでの評価ではなく、本来それをやる目的がきちんと果たせていればいい。形式ばった日報でなくても、自分のノートに振り返りを書き、先輩とのコミュニケーションをとれるなら、それで目的は果たされているはずです。

同じように、本来の目的からズレてしまっている面がいろいろあるように感じたのです。生きている以上は誰もが失敗を避けられないし、間違いを犯すことだってあります。MUST感ばかりのルールを課して管理するのではなく、個々の判断に委ねて組織として「挑戦する」力を伸ばしていくほうがずっと大事だと思えるようになりました。

ただ、恥ずかしながら、これまで私は1回のミスでブチ切れてしまうこともありましたので、まずは自分の許容度を拡げることが、私自身の課題だと認めました。

反省⑦　分断が起きやすい発言をしていた

「新卒社員はこうしているのに、中途社員はなぜこうなんですか？」――こんな風に必要以上に対立構造を意識させるやりとりが、むしろ自由で活発な発言であるかのように誤解しているところが、私自身にも社内全体にもありました。「社長と社員は違う」「結果を出している人とそうでない人」「収益部門とバック部門」など、どちらかがプラスでどちらかがマイナスだと受け取られるような表現をしてしまうことも少なくありませんでした。

少し考えればわかるように、これはどれもどちらがいい、どちらが悪いということではなく、どちらもいい部分、悪い部分があるのが当然です。肝心なのは、それをお互いがどう受け取り、組織として進化していくかという点であり、分断を起こすことは決して褒められた態度ではありません。

そうならないよう、対立をあおるだけの「議論のための議論」から卒業し、自分を含めて社長や役員、幹部という特権的な立場、メンバーとのパワーギャップも極力なくしていきたいと思い直しました。

反省⑧ 合意（アライメント）が弱かった

反省②でも書いたように、合意というのは関わる人間相互のコミットがあってのことです。これまでは会社全体で合意がとれているという思い込みだけで、メンバー個々の認識が違うという場合が少なくありませんでした。勢いまかせ、感覚でやっている感じがどこかにあって、結果、全体として目標を追いきれない点が問題だったと感じています。

まず変えたのは会議のあり方です。これからは最初に「決定者」を決め、その人の決定に従うかたちにすることにしました。今まで何でもかんでも社長である私が結論を決めていたところを、案件ごとにそれを知悉する決定者に全員の意見を集約し、決定者が決定するというやり方に変えました。

もちろん、私を含めた参加者が決定者に単に下駄を預けるというのではなく、強い反論や異論があるときにはもう一度協議をします。そのうえで一定の合意が得られれば、いったんは決定者に委ねることとし、形だけの多数決に任せることはしません。決定者の決定も正しいとは限らないので、やってみて「違う」と思ったら、またいつでも再協議をします。関わった全員が、その合意を「正解」に変えるべく、知恵と力を合わせる点を重視したいと考えました。

これによって、表面上は賛成しつつも、裏にまわると「あれ、どうなのよ?」という態度をとる無責任な組織文化を脱し、強いアラインメントを全員でつくっていきたいと思います。せっかくの決定を決定としてやりきれなかったのは、社長としておおいに反省するところです。

―――

2022年8月に表明した、この「8つの反省」を出発点にして、これからの組織のビジョンを描いた「Rainbow Star」を発表しました。ここには7つのポリシーと、21の方法が練り込まれています。とはいえまだまだVer.1の段階。メンバー全員が参画してのワークショップや討論を通じて、引き続きブラッシュアップしていきます。

Rainbow Star

一人では成し得ない社会課題の解決のために組織は存在する。一人ひとりの個性、能力が最大限発揮され、無限の可能性に挑戦できるカルチャーを醸成するためにも、全員が「 SevenRainbow 」を体現し、全社のリソースを効果的に活用しながら自分たちにとっての理想を追求する唯一無二の組織をつくる。

7policy・21ways

理想の組織は、スローガン的に掲げて終わるのではなく、一人ひとりの意識と組織内の仕組みの両輪が回ることで実現できる。意識レベルも、仕組みレベルも常にアップグレードさせ、改善し続けることによって、理想の組織に近づいていくことができる。

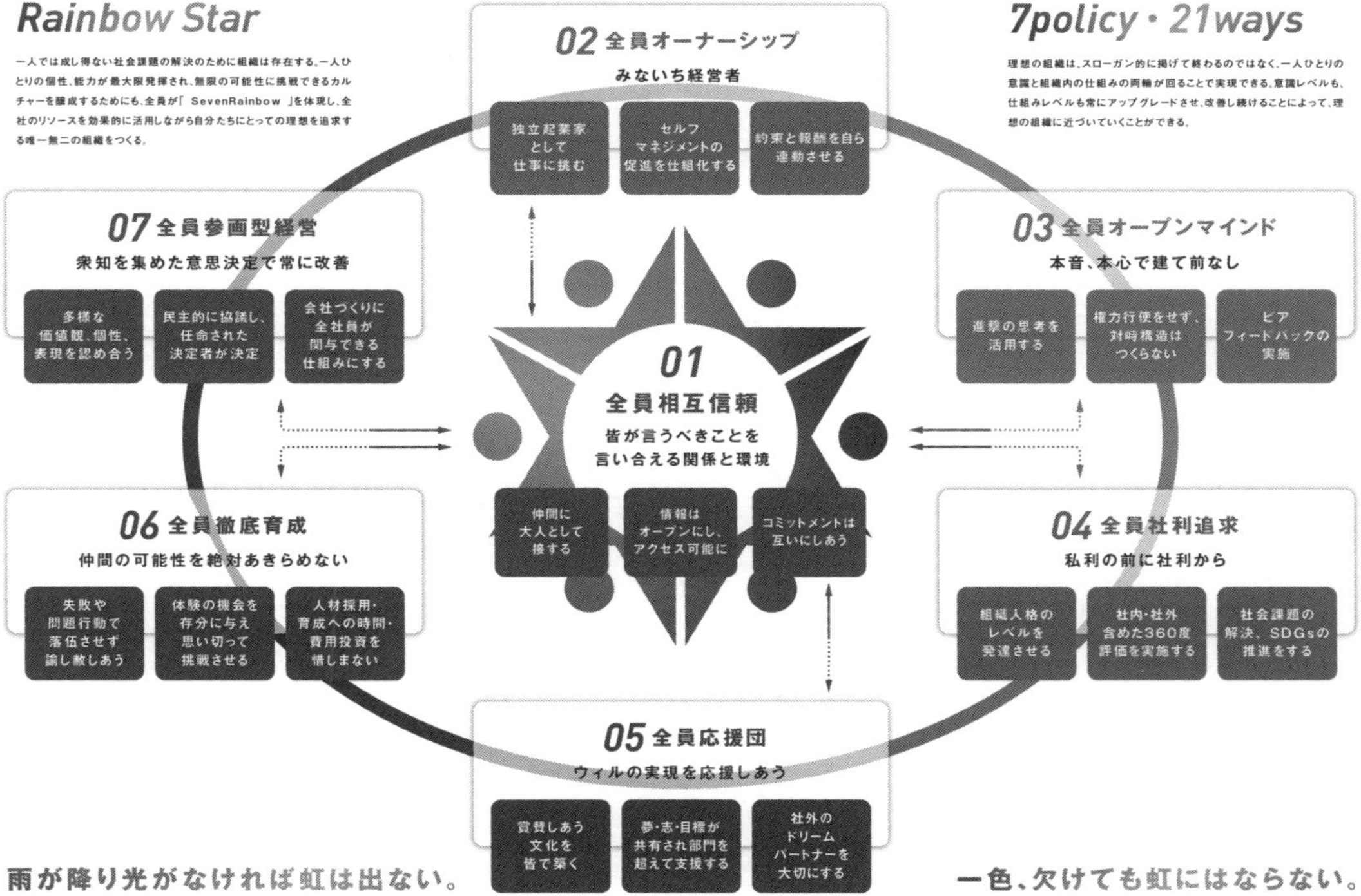

01 全員相互信頼
皆が言うべきことを言い合える関係と環境
仲間に大人として接する
情報はオープンにし、アクセス可能に
コミットメントは互いにしあう
02 全員オーナーシップ
みないち経営者
独立起業家として仕事に挑む
セルフマネジメントの促進を仕組化する
約束と報酬を自ら連動させる
03 全員オープンマインド
本音、本心で建て前なし
進募の思考を活用する
権力行使をせず、対峙構造はつくらない
ピアフィードバックの実施
04 全員社利追求
私利の前に社利から
組織人格のレベルを発達させる
社内・社外含めた360度評価を実施する
社会課題の解決、SDGsの推進をする
05 全員応援団
ウィルの実現を応援しあう
賞賛しあう文化を皆で築く
夢・志・目標が共有され部門を超えて支援する
社外のドリームパートナーを大切にする
06 全員徹底育成
仲間の可能性を絶対あきらめない
失敗や問題行動で落伍させず諭し赦しあう
体験の機会を存分に与え思い切って挑戦させる
人材採用・育成への時間・費用投資を惜しまない
07 全員参画型経営
衆知を集めた意思決定で常に改善
多様な価値観、個性、表現を認め合う
民主的に協議し、任命された決定者が決定
会社つくりに全社員が関与できる仕組みにする

雨が降り光がなければ虹は出ない。

一色、欠けても虹にはならない。

どこにでもある小さな会社から、世界にたった一つしかない「超超越」カンパニーを目指した10年。そしてさらにその先へ。

創業10年。レガシードは確実に次のステージへ進みました。私たちレガシードは、ここまで描いてきたように、「人」すなわち採用を入り口にした会社組織の変革をコアとして、人と組織の問題を解決してきました。採用コンサルティングをはじめ、教育研修、メディアやテックの開発と提供も手掛け、設計から環境づくりまで、お客様のご要望と現状に合わせたご提案、人の力とテクノロジーを駆使した支援を自社でのワンストップで行えるのが最大の強みです。

メンバーの8割を占めるのは新卒であり、平均年齢は29歳と極めて若い会社ながら、国が目安とする年間付加価値額を大きく上回る数字を達成しています。お客様も年々その数が増えているばかりでなく、その成果も右肩上がりです。これまで全国各地で、業種業界、規模の大小を問わず、無名でも社会に大きな価値を提供している素晴らしい企業様に採用の成功を実感していただいてきました。

そうした実績に加えて、積極的な投資による新規事業もようやく、実を結びつつあります。好奇心と冒険心、遊び心を刺激するこだわりのオフィスを拠点に、主軸の人事部門を越えたIPOやM&Aのコンサルティングを充実させ、新卒採用の〝専門医〟から企業課題のすべてを診る〝総合病院〟へ、多様かつ重層的なコンサルティング企業へと変革していくべく、新たなステージへの階段を駆け上がっています。

なかでも最大のカギになるのが、リアルの体験と仮想空間によるメタバース内での体験を融合し、「なりたい自分になれる世界」をつくることです。長期インターンシップ求人メディアのM&Aや、採用の可視化ツール「ミリョプラ」の開発などはすべてそこにつながっていきます。

ご存じのようにFacebookがMetaと社名を変更するなど、現在の海外、特にアメリカでは日本にいては想像もできないほどの開発と投資が、この分野に注ぎ込まれています。レガシードではその技術を使って、これまでリアルに閉じ込められてきた就活や採用のプロセスをバーチャル上に開放したいと、まさに今、そのための準備を猛スピードで進めているところです。メタバースによる就活と採用の実現によって、学生たちは世界中の企業ともう一つの「リアル」な世界で接触することができるようになります。企業側もまた、国境を越えて若く優秀な人材とコンタクトをすることが可能になります。就活生たちは日本にいながらにして海外の企業のインターンシップに参加したり、人材難に悩む中小企業様でも本当に自分たちの価値をわかってくれる仲間と出会うチャンスが爆発的に広がっていきます。ひいては、すべての人が夢や志をかなえられる国をメタバース空間に創造するという構想を抱いています。

世の中の変化を肌で感じると同時に、自分自身の変化、いや進化も実感しています。リアルとオンラインの境目は曖昧になり、国境は意味がなくなり、性別や年齢での区別もなくならんとしているなかで、私はいつまでも「自分が」「自社が」とこだわっていて良いのだろうかと、新しい疑問が湧いてきたのです。超超越を目指し、いざそれが手に入りかけたときに気づいたのは、「ここがゴールではない」ということでした。「自分にしかできない、自分だけの価値を創りだしたい」「自分たちにしかできないことをやりたい」と求めることも、自分という存在に対する執着からきているのではないかと、改めて自分の目指す先を自問しています。

レガシードという会社の中で、社長である私がいなくても組織が進化できるように、自分の役割を「決定」することから「委譲」にシフトしてきたことは、先に述べたとおりです。同じことを世の中に対しても行っていくタイミングに来ているのではないかと思うようになりました。レガシードは私が立ち上げた、私の会社。「自分が良くしてやる！」と決意していましたが、最近では、自分こそが社長であるという意識は消え、「自分よりもレガシードの経営者として向いている人がいればいつでも交代していい」と本心から思うようになりました。ＩＰＯも目標として掲げていますが、自分が社長として、自分の名前で実現させたいのだとも思っていません。今は、「私が引っ張ってあげよう！」という思いが、「皆と一緒につくっていきたい」という気持ちに変わりました。

最終的に世の中が良くなることを考えたら、「自分が」「自社が」というこだわりは、必要ないのではないかと思えるのです。「自分だけの価値」を高めることを追求してきた私がたどり着いたのは、「万人が幸せに生きられる世の中をつくること」と言うと、一周回ってきてしまったようにも思えますが、超越、超超越を目指すプロセスがあったからこそ、今こうした考え方になってきたのだと思います。自分が物心ともに恵まれているからこそ、周囲の人や世の中の人の幸せを本心から望むことができる。仕事のやりがい、人脈、得たお金で味あわせていただいた体験や経験、家族、仲間。満たされているという気持ちが、自己に対する執着をなくしました。自分自身への執着を手放したのと同じように、次はレガシードという会社でもそれができるようになればいいと思っています。

「レガシードはすごい」
「こんなことレガシードにしかできない」
「レガシードみたいな会社はほかにはない」

私が求めてきたこの会社のありたい姿は、本当の意味での理想的な社会をつくる途中経過だったのだと、今この場所に立ったからこそ理解し、その先の存在を知ることができました。

この先の答えは、まだ私にもありません。「超超越」の先は何だろうかと考え、初めは「超超超越」と言っていたのですが、これも少し違う気がします。この先はあらゆる垣根がなくなる世界。常識も、国境も、年齢も、性別も関係のない世界が広がっていくのだと思います。「越境」とでも呼べばよいのでしょうか。足るを知る、善に生きる、十戒、など、これまではまったく興味が抱けなかったそんな精神の世界にこそ答えがあるような気もしています。

とはいえ、レガシードの「超超越」はまだ完成したわけではありません。「越境」を視野に入れながらも、まずはメンバー一人ひとりの「超越」を磨き、組織としての「超超越」を実現させたいと思います。

近藤悦康、43歳。まだ、理想を追求する人生の旅は終わりそうにありません。

超越（ちょうえつ）
自分にしかない、自分だけの価値を創造すること。

超超越（ちょう・ちょうえつ）
自分たちにしかできない、自分たちだけの価値を創造すること。
「超越」を持つ人が集まり、一人では決して到達できない目的を達成すること。互いの「超越」をぶつけ合うことで、社会や世界、地球までをも変えるほどの力を生み出すこと。

越境（えっきょう）
すべての垣根、境界がなくなり、万人が幸せに生きられる世界、またその実現を目指すこと。自分や自社、自国などのアイデンティティに対する執着から解放され、仮にこの世から姿を消したとしても、周囲や世の中に良い影響を与え続けられる存在。

近藤悦康

おわりに

ここまで、私たちが掲げる「超超越」を核にしたストーリーをお読みいただきました。

本書は、私、近藤悦康とレガシードの過去・現在・未来を多くの方に知っていただくため、創業10年の節目を迎えるタイミングで発刊することとなりました。自身の歴史を振り返るという作業を通じて誰よりも多くの発見と学びを実感したのは、ほかならぬ私だったように思います。

超越にせよ、超超越にせよ、ある瞬間に世界でただ一つの価値を生み出したとして、そのままの状態にとどまり、足踏みをしていれば、すぐにありふれた存在になってしまいます。だからこそ、昨日より今日、今日より明日と常に前に進み続ける必要があります。ときにはこれまでに生み出してきた価値をあえて投げ打つ決断が必要なときもきます。

そのように考えると本書はすでに過去の話。今の私、そしてレガシードの皆にとっては、ここから越えていくべきものであり、それこそが次の超超越をつくり上げるのだと思います。その第一歩として、レガシードでは近い将来のＩＰＯも視野に入れ、２０２２年10月からの第11期より、組織の意思決定プロセスを大胆に変更しました。

社長が日々の実務のすべてについて、細部にわたるコミットをする組織は、一定の段階を過ぎると大きな壁にぶつかり、事業の成長が止まってしまう――そうした例を私自身、これまでのコンサルティングを通じて数多く見てきました。特にスタートアップの企業様、規模でいうと中小企業においてそうしたケースは非常に多く、かく言うレガシードもそんな会社の一つでした。

どんなにすぐれた社長でも生涯現役でいることは不可能ですし、もし社長がいなくなったとしても会社を永続的に発展させるには、社員への権限委譲が不可欠です。ただ、自分のことを振り返っても言えることですが、スタートアップや中小の企業様の場合、経営者の皆様はそもそもプレイヤーとして超一流であり、「自分にしかできない価値」＝「超越」を持ち合わせた人たちばかりです。それゆえ困難なタスクを見るとついそれに対処したくなってしまうものです。社長の性ですね。

しかし、そうして経営者自身が実行の細部にコミットし続けることは、半面、社員の成長を遅らせるという点を忘れてはなりません。子育てを例に考えてみてください。小さい子どもが着替えをするとき、親が洋服を着せてあげたほうが早いのは確かですが、いつまでもそれを続けていては、子どもはいつまでも一人で着替えができるようにはなりません。本人が挑戦をし、表裏が逆になったり、ボタンを掛け違ったり、そんな経験を積んでいくことで、気づけば当たり前にできるほどに成長するのです。

もちろん、そこに多くの不安や心配がつきものなのは確かです。

「自分と同じ基準で意思決定ができず、お客様に迷惑をおかけすることにならないだろうか？」
「サービスや商品のクオリティを担保できないのではないか？」
「どのタイミングで権限委譲すればいいか？」
「社員にどこまで任せ、社長はどのようにチェックをすればいいのか？」

など、書き出したらキリがありません。

私も創業5年目を過ぎたタイミングで、お客様ごとの案件に直接関わることは意識的に減らし、現場への権限委譲を進めてきましたが、そこには少なからぬ試行錯誤がありました。恥ずかしながらお客様にご迷惑をかけてしまったこともあります。

私が意識したのは、単にやり方だけを教えるのではなく「何が良くて、何が良くないのか」を明確に〝言語化〟し、現場での判断の基準を一つひとつ整えていくというプロセスでした。これは、先に挙げた不安や心配をそのまま裏返し、自分が大事にしている基準を自分自身に言語化、明確化して共有をはかるということで、まずは個々のスタッフのレベルを最大限にアップすることを目的としています。

このように、権限委譲とは現場へのただの「丸投げ」などではなく、会社の業績づくりと幹部を含めた社員の育成という両面を共に満たす、極めて高度なプロセスなのです。そのことは、手前味噌ではありますが、レガシードのスタッフが日々お客様に対して発揮する、高いパフォーマンスをご覧いただければ十分ご理解いただけることと思います。

今、私たちが新たに導入する意思決定の大胆な変革は、こうした従来の権限委譲の成果を踏まえ、さらに異次元のレベルまでを目指す試みと言えるでしょう。そこにあるのは、トップダウンか、ボトムアップかという機構面にとどまらない、レガシードとその「超超越」のさらなる進化につながる挑戦です。

世界に一つだけの価値を生み出す「超越」とはなにか。
「超越」をもつ人材が集い、より大きな価値となる「超超越」とは何か。
それを目指す人生とはいったいどんなものなのか。

近藤悦康という一人の男の人生を通して、何か一つでも感じていただけるものがあればこれ以上の喜びはありません。

私は、決して特別な人間ではありませんでした。勉強でもスポーツでも「天才」と言われる人たちがいますが、私は彼らの足元にも及びませんでした。でも、努力をしました。「自分にしかできないことはなんだろう?」と模索し、動き続けました。その結果が、今の私です。レガシードの社員たちもそうです。社長として、我が社の社員は、どこに出しても恥ずかしくない素晴らしい人材だと自信を持って言えます。転職市場に出れば、間違いなく各社がこぞって欲しがるほどの逸材ばかりです。しかし彼らも、最初から特別だったわけではありません。失敗したり、挫折したりを繰り返しながらも諦めず、自分にしか創造できない価値を求めてひたむきに努力をしてきたからこそ、今の彼らがあります。超越の可能性は、どんな人にだって眠っています。本書を通して、そんなことを感じ取っていただけていればうれしいです。

さて、レガシードでは「はたらくを、しあわせに。」というミッションを掲げています。本書のテーマが【超越→超超越→その先へ】と広がっていったように「しあわせ」の輪も、【自分→自分とその家族や仲間→自分とは直接関わりのない人たち】へと広がっていくのだと私は考えています。自分が幸せでないのに、誰かを幸せにすることはできないのです。自分の周りの人も幸せにできないのに、社会を幸せにすることはできないのです。自分の心と体をいかに幸せにしていくか、ということも、ぜひ皆さんには考えていただきたいです。

＊　＊　＊

本書をつくり上げるにあたっては、自他ともに認める「過去を振り返るのが苦手」な私のために、多くの皆さんに力を貸していただきました。お客様の立場から貴重なお話を聞かせてくださった、株式会社タカジョウグループ代表取締役の長井正樹さん、株式会社自然共生ホールディングス代表取締役CEOの光本教秀さん、株式会社キンダーガーテン代表取締役社長の浦濱隼人さん。時に、本人が忘れたい話題まで惜しみなく提供してくれた友人やかつての仕事仲間――伊藤さん、森さん、成瀬さん、橘さん、高田さん、河合さん、山川さん。本当にありがとうございました。

そして、日々「超超越」の実現へ向けて一緒にレガシードで働いてくれた仲間、今も働いてくれている同志たち、誰よりも公私にわたり支え続けてくれる田中美帆に、心よりの感謝を捧げます。

2023年11月
株式会社Legaseed　代表取締役　CEO　近藤悦康

近藤 悦康（こんどう・よしやす）

株式会社 Legaseed 代表取締役 CEO

1979年、岡山県生まれ。アチーブメント株式会社に新卒第1号で入社し、数々の新規事業を立ち上げながら、口コミで集まる人材採用の仕組みを構築し、年間2万人以上が応募する人気企業へと飛躍させる。

2013年、株式会社 Legaseedを設立。

「はたらくを、しあわせに。」を経営理念に、600社以上の企業に新卒採用、人材育成、人事制度設計などの組織変革のコンサルティングを実施。

同社は、年間1万7000人を超える学生が応募する人気企業となり、「Rakutenみん就」で学生が選ぶ「インターン人気企業ランキング」で10位（2021年調べ）を獲得。

これまでに、会社経営者、ビジネスパーソン、新卒学生など、延べ10万人を超える人たちにセミナーやワークショップを行う。

また最近は、中小・ベンチャー企業の経営者に対し、理想の会社・組織をつくるためのアイディアやノウハウをYouTubeで定期配信している。

主な著書に『進撃の思考』（幻冬舎）『日本一学生が集まる中小企業の秘密』（徳間書店）、『内定辞退ゼロ』（実業之日本社）、『伸びてる会社がやっている「新卒」を「即戦力化」する方法』（クロスメディア・パブリッシング）、『はたらくを、しあわせに。』（クロスメディア・パブリッシング）、『一瞬で社員の心に火をつけるシンプルな手帳』（日経BP日本経済新聞出版本部）、『できる人がやっている上司を操る仕事術』（PHPエディターズ・グループ）、『99%の会社が知らない「超・デジタル採用術」』（徳間書店）がある。

装　　幀　　重実生哉
執筆協力　　入澤誠、但馬薫
編集協力　　ブランクエスト

超超越主義《ちょうちょうえつしゅぎ》。
世界《せかい》にたった一《ひと》つの最強《さいきょう》組織《そしき》のつくり方《かた》

2023年11月11日　初刷第1刷発行

著者　近藤 悦康

発行　サンライズパブリッシング株式会社
〒150-0043　東京都渋谷区道玄坂1-12-1
渋谷マークシティW22階
Tel:03-6862-0101

発売　株式会社飯塚書店
〒112-0002　東京都文京区小石川5-16-4

印刷・製本　中央精版印刷株式会社

ISBN 978-4-7522-9023-0　C0034